EMIL UND DIE

ERICH KÄSTNER

# EMIL UND

# DIE DETEKTIVE

GEKÜRZT UND VEREINFACHT
FÜR SCHULE UND SELBSTSTUDIUM

Diese Ausgabe, deren Wortschatz nur die
gebräuchlichsten deutschen Wörter umfaßt,
wurde gekürzt und vereinfacht, und ist damit den Ansprüchen des Deutschlernenden
auf einer frühen Stufe angepaßt.

Oehler: Grundwortschatz Deutsch (Ernst
Klett Verlag) wurde als Leitfaden benutzt.

HERAUSGEBER
H. E. Jensen
O. Børløs Jensen *Dänemark*


BERATER
Otto Weise *Deutschland*
Bengt Ahlgren *Norwegen*
Uwe Pütter *Schweden*


Umschlag: Ib Jørgensen
Illustrationen: Oskar Jørgensen


© 1969 by Atrium Verlag Zuerich
& Grafisk Forlag/Aschehoug Dansk Forlag A/S
ISBN Dänemark 87-429-7470-4


Gedruckt in Dänemark von
Grafisk Institut A/S, Kopenhagen

# ERICH KÄSTNER
## (geb. 1899)

gehört wohl zu den bekanntesten Schriftstellern Deutschlands. Allgemein bekannt
ist er als Verfasser von Romanen »für
Kinder von 9–90 und darüber«, und das
ist schade. In erster Linie ist er nämlich
ein Moralist und Satiriker. Ganz besonders tritt dies in seinen Gedichten hervor,
in denen er, oftmals in ungemein scharfer
Form, aber nicht ohne Humor, all das bloßstellt, was Unrecht ist. Zwar hat er gesehen, wie wenig ein Verfasser mit solchen
Mitteln erreichen kann, denn »Immer wieder kommen Staatsmänner mit großen
Farbtöpfen des Wegs und erklären, sie
seien die neuen Baumeister. Und immer
wieder sind es nur Anstreicher. Die Farben wechseln, und die Dummheit bleibt!«
schreibt er einmal. Und dennoch führt er
seinen Kampf weiter gegen alles Unechte,
gegen den Militarismus, gegen die Bürokratie.

## WERKE:

*Gedichtsammlungen:* Herz auf Taille (1927);
Gesang zwischen den Stühlen (1932); Doktor Erich Kästners lyrische Hausapotheke
(1936).

*Prosa:* Emil und die Detektive (1928);
Pünktchen und Anton (1931); Fabian
(1931); Das fliegende Klassenzimmer (1933);
Drei Männer im Schnee (1934); Die verschwundene Miniatur (1935); Der kleine
Grenzverkehr (1949); Die Konferenz der
Tiere (1949); Das doppelte Lottchen (1949);
Als ich ein kleiner Junge war (1957); Notabene 45 (1961).

# 1 Emil hilft Köpfe waschen

»So«, sagte Frau Tischbein, »und nun bringe mir mal den *Krug* mit dem warmen Wasser nach!« Sie selber nahm den kleinen blauen Topf mit der flüssigen Kamillenseife und spazierte aus der Küche in die Stube. Emil *packte* seinen Krug und lief hinter der Mutter her.

In der Stube saß eine Frau und hielt den Kopf über das weiße Waschbecken. Ihre Frisur war aufgelöst und hing wie drei Pfund Wolle nach unten. Emils Mutter goß die Kamillenseife in das blonde Haar und begann, den fremden Kopf zu waschen.

»Ist es nicht zu heiß?« fragte sie.

»Nein, es geht«, antwortete der Kopf.

»Ach, das ist ja Frau Bäckermeister Wirth! Guten Tag!« sagte Emil.

»Du hast's gut, Emil. Du fährst nach Berlin, wie ich höre«, meinte der Kopf.

»Erst hatte er keine rechte Lust«, sagte die Mutter. »Aber wozu soll der Junge die Ferien hier totschlagen? Er kennt Berlin überhaupt noch nicht. Und meine Schwester Martha hat uns schon immer mal einladen wollen.

der Krug

---

*packen,* in die Hand nehmen

Ihr Mann *verdient* ganz *anständig*. Er ist bei der Post. Ich kann nicht mitfahren. Vor den Feiertagen gibt's viel zu tun. Na, er ist ja groß genug. Außerdem holt ihn meine Mutter am Bahnhof Friedrichstraße ab. Sie treffen sich am Blumenkiosk«.

»Berlin wird ihm sicher gefallen. Das ist was für Kinder. Da gibt es doch wirklich Straßen, die nachts genau so hell sind wie am Tage. Und die Autos!«

»Sehr viele ausländische Wagen?« fragte Emil.

»Woher soll ich denn das wissen?« sagte Frau Wirth und mußte niesen. Ihr war Seifenschaum in die Nase gekommen.

»Na, nun mach aber, daß du fertig wirst,« drängte die Mutter. Deinen guten Anzug hab' ich im Schlafzimmer zurechtgelegt. Zieh ihn an, damit wir dann sofort essen können, wenn ich Frau Wirth frisiert habe.«

»Was für'n Hemd?« erkundigte sich Emil.

»Liegt alles auf dem Bett. Und zieh die Strümpfe vorsichtig an. Und wasch dich erst gründlich. Und zieh dir neue *Schnürsenkel* in die Schuhe. *Dalli, dalli!*«

»Puh«, bemerkte Emil und verschwand.

Als Frau Wirth gegangen war, trat die Mutter ins Schlafzimmer und sah, wie Emil unglücklich herumlief.

»Kannst du mir nicht sagen, wer die guten Anzüge erfunden hat?«

der Schnürsenkel

---

*anständig verdienen*, gut verdienen
*dalli, dalli*, schnell

»Nein, tut mir leid. Aber warum willst du's wissen?«

»Gib mir die Adresse, und ich erschieße den Kerl.«

»Ach, hast du's schwer! Andere Kinder sind traurig, weil sie keinen guten Anzug haben. So hat jeder seine Sorgen... Ehe ich's vergesse: heute abend läßt du dir von Tante Martha einen Kleiderbügel geben und hängst den Anzug ordentlich auf. Vorher wird er aber ausgebürstet. Vergiß es nicht! Und morgen kannst du schon wieder deinen Pullover anziehen. Sonst noch was? Der Koffer ist gepackt. Die Blumen für die Tante sind eingewickelt. Das Geld für Großmutter gebe ich dir nachher. Und nun wollen wir essen. Kommen Sie, junger Mann!« Frau Tischbein legte den Arm um seine Schulter und transportierte ihn nach der Küche. Es gab Makkaroni mit Schinken. Emil *futterte wie ein Scheunendrescher.* Nur manchmal blickte er zur Mutter hinüber.

»Und schreib sofort eine Karte. Ich habe sie dir zurechtgelegt. Im Koffer, gleich obenauf.«

»Wird gemacht«, sagte Emil und schob eine Makkaroni vom Knie. Die Mutter merkte glücklicherweise nichts.

»Grüß sie alle schön von mir. Und paß gut auf. In Berlin geht es anders zu als bei uns in Neustadt. Und am Sonntag gehst du mit Onkel Robert ins Kaiser-Friedrich-Museum. Und benimm dich anständig.«

»Mein großes Ehrenwort«, sagte Emil.

Nach dem Essen zogen beide in die Stube. Die Mutter holte einen Blechkasten aus dem Schrank und zählte Geld. Dann schüttelte sie den Kopf und zählte noch einmal. Dann fragte sie: »Wer war eigentlich gestern nachmittag da, hm?«

»Fräulein Thomas«, sagte er, »und Frau Homburg.«

---

*wie ein Scheunendrescher futtern,* sehr viel essen

»Ja. Aber es stimmt noch nicht.« Sie dachte nach, rechnete und meinte schließlich: »Es fehlen acht Mark.«

»Der Gasmann war heute früh hier.«

»Richtig, nun stimmt es leider.« Die Mutter holte drei Scheine aus dem Blechkasten. »So, Emil! Hier sind hundertvierzig Mark. Ein Hundertmarkschein und zwei Zwanzigmarkscheine. Hundertzwanzig Mark gibst du der Großmutter und sagst ihr, sie solle nicht böse sein, daß ich voriges Mal nichts geschickt hätte. Und gib ihr einen Kuß. Verstanden? Die zwanzig Mark, die übrigbleiben, behältst du. Davon kaufst du dir die Fahrkarte, wenn du wieder heimfährst. Das macht ungefähr zehn Mark. Genau weiß ich's nicht. Und von dem Rest bezahlst du, was du ißt und trinkst, wenn ihr ausgeht. Außerdem ist es immer gut, wenn man ein paar Mark in der Tasche hat. Ja. Und hier ist ein Kuvert. Da stecke ich das Geld hinein. Paß mir ja gut auf, daß du es nicht verlierst; wo willst du es hintun?«

Sie legte die drei Scheine in den Briefumschlag und gab ihn Emil.

Der schob ihn in die rechte innere Tasche, tief hinunter und sagte überzeugt: »So, da klettert er nicht heraus.«

»Und erzähle keinem Menschen im Kupee, daß du so viel Geld bei dir hast!«

»Aber Muttchen!« Emil war geradezu beleidigt. Ihm so eine Dummheit zuzutrauen! Frau Tischbein tat noch etwas Geld in ihr Portemonnaie. Dann trug sie den Blechkasten wieder zum Schrank.

Manche von euch werden sicher der Ansicht sein, man brauche sich wegen hundertvierzig Mark wahrhaftig nicht so gründlich zu unterhalten wie Frau Tischbein mit ihrem Jungen. Aber falls ihr es nicht wissen solltet: Die meisten

Menschen verdienen viel, viel weniger. Für zahllose Menschen sind hundert Mark fast so viel wie eine Million.

Emil hatte keinen Vater mehr. Doch seine Mutter hatte zu tun, frisierte in ihrer Stube, wusch blonde Köpfe und braune Köpfe und arbeitete, damit sie zu essen hatten und die Gasrechnung, die Kohlen, *die Miete*, die Kleidung, die Bücher und das Schulgeld bezahlen konnten. Nur manchmal war sie krank und lag zu Bett. Der Doktor kam und verschrieb Medikamente. Und Emil kochte in der Küche für sie und sich. Und wenn sie schlief, wischte er sogar die Fußböden, damit sie nicht sagen sollte: »Ich muß aufstehen. Die Wohnung verkommt ganz und gar.«

Könnt ihr es begreifen und werdet ihr nicht lachen, wenn ich euch jetzt erzähle, daß Emil ein *Musterknabe* war? Seht, er hatte seine Mutter sehr lieb. Und er hätte sich geschämt, wenn er faul gewesen wäre. Sie arbeitete, rechnete und arbeitete, und da hätte er von Naumanns Richard abschreiben sollen? Da hätte er *die Schule schwänzen* sollen? Er sah, wie sie sich bemühte. Und da hätte er sie beschwindeln und ihr Kummer machen sollen?

Emil war ein Musterknabe, aber keiner von der Sorte, die feig ist und nicht richtig jung. Er war ein Musterknabe, weil er es sein wollte. Er hatte sich dazu entschlossen, und oft fiel es ihm recht schwer.

Wenn er aber zu Ostern nach Hause kam und sagen konnte: »Mutter, ich bin wieder der Beste!« dann war er sehr zufrieden. Er liebte das Lob, das er in der Schule und überall erhielt, weil es seiner Mutter Freude machte.

---

*die Miete,* die Bezahlung für die Wohnung
*der Musterknabe,* der vorbildliche Junge
*die Schule schwänzen,* ohne Erlaubnis aus der Schule fortbleiben

Er war stolz darauf, daß er ihr ein bißchen vergelten konnte, was sie für ihn, ohne müde zu werden, tat . . .

»Hoppla«, rief die Mutter, »wir müssen zum Bahnhof. Es ist schon Viertel nach eins. Und der Zug geht kurz vor zwei Uhr.«

»Also los, Frau Tischbein!« sagte Emil zu seiner Mutter, »aber, daß Sie es nur wissen, den Koffer trage ich selber!«

## Fragen

1. Was war Emils Mutter?

2. Wen sollte Emil in Berlin besuchen?

3. Was sollte Emil in Berlin sehen?

4. Wie konnte Emil der Mutter helfen?

5. Warum wollte Emil ein Musterknabe sein?

# 2 Wachtmeister Jeschke bleibt stumm

der Droschkengaul

der Zügel        die Scheibe

die Pferdebahn

Vor dem Hause sagte die Mutter: »Falls *die Pferdebahn* kommt, fahren wir bis zum Bahnhof.«

Wer von euch weiß, wie eine Pferdebahn aussieht? Aber da sie gerade um die Ecke biegt und hält, weil Emil winkt, will ich sie euch rasch beschreiben.

Also, die Pferdebahn läuft auf Schienen, wie eine richtige Straßenbahn und hat auch ähnliche Wagen, aber es ist eben doch nur ein *Droschkengaul* vorgespannt. Emil und seine Freunde phantasierten von elektrischen Bahnen mit Ober- und Unterleitung, aber der Magistrat von Neustadt fand die Pferdebahn gut genug. Bis jetzt konnte also von Elektrizität gar keine Rede sein, und der Wagenführer hielt also in der linken Hand *die Zügel* und in der rechten die Peitsche. Hü, hott!

Und wenn jemand in der Rathausstraße 12 wohnte, und er saß in der Pferdebahn und wollte aussteigen, so klopfte er ganz einfach an *die Scheibe*. Dann machte der Herr Schaffner »Brr!« und der Fahrgast war zu Hause.

Die richtige Haltestelle war vielleicht erst vor der Hausnummer 30 oder 46. Aber das war der Neustädter Straßenbahn ganz egal. Sie hatte Zeit. Das Pferd hatte Zeit. Der Schaffner hatte Zeit. Die Neustädter Einwohner hatten Zeit. Und wenn es wirklich einmal jemand besonders eilig hatte, ging er zu Fuß . . .

Auf dem Bahnhofsplatze stiegen Frau Tischbein und Sohn aus. Und während Emil den Koffer von der Plattform angelte, brummte eine dicke Stimme hinter ihnen: »Na, Sie fahren wohl in die Schweiz?«

Das war der Polizeiwachtmeister Jeschke. Die Mutter antwortete: »Nein, mein Junge fährt für eine Woche nach Berlin zu Verwandten.« Und Emil wurde es dunkelblau, beinahe schwarz vor Augen. Denn *er hatte ein* sehr *schlechtes Gewissen.* Neulich hatte ein Dutzend Realschüler dem Denkmal des Großherzogs heimlich einen alten Filzhut aufs Haupt gedrückt. Und dann hatte Emil, weil er gut zeichnen konnte, dem Herzog eine rote Nase und einen schwarzen Schnurrbart ins Gesicht malen müssen. Und während er noch malte, war Wachtmeister Jeschke aufgetaucht!

Sie waren blitzartig davongesaust. Doch es stand zu befürchten, daß er sie erkannt hatte.

Aber er sagte nichts, sondern wünschte Emil eine gute Reise. Emil war nicht wohl zumute. Jeden Augenblick rechnete er damit, Jeschke werde plötzlich hinter ihm her brüllen: »Emil Tischbein, du *bist verhaftet!* Hände hoch!« Doch es geschah gar nichts. Vielleicht wartete der Wachtmeister nur, bis Emil wiederkam?

---

*ein schlechtes Gewissen haben,* bange sein, weil man etwas getan hat
*verhaftet sein,* von der Polizei geholt worden sein

Dann kaufte die Mutter am *Schalter* die Fahrkarte und eine Bahnsteigkarte. Und dann gingen sie auf den *Bahnsteig* 1 – bitte sehr, Neustadt hat vier Bahnsteige – und warteten auf den Zug nach Berlin. Es fehlten nur noch ein paar Minuten.

»Laß nichts liegen, mein Junge! Und setzt dich nicht auf den Blumenstrauß! Und den Koffer läßt du dir von jemandem ins *Gepäcknetz* heben. Sei aber höflich und bitte erst darum!«

»Den Koffer krieg ich selber hoch. Ich bin doch nicht aus Pappe!«

»Na schön. Du kommst um 18.17 Uhr in Berlin an. Am Bahnhof Friedrichstraße. Steige ja nicht vorher aus, etwa am Bahnhof Zoo!«

»Nur keine Bange, junge Frau.«

»Und sei zu den anderen Leuten nicht so frech wie zu deiner Mutter. Und wirf das Papier nicht auf den Fuß-

der Schalter

---

*der Bahnsteig*, siehe Abbildung Seite 18
*das Gepäcknetz*, siehe Abbildung Seite 23

16

boden, wenn du deine *Wurstbrote* ißt. Und – verliere das Geld nicht!«

Emil faßte sich entsetzt an die Jacke und in die rechte Brusttasche und meinte dann erleichtert: »Alle Mann an Bord.«

Er faßte die Mutter am Arm und spazierte mit ihr auf dem Bahnsteig hin und her.

»Und überarbeite dich nicht, Muttchen! Und werde ja nicht krank. Und schreib mir auch einmal. Und ich bleibe höchstens eine Woche, daß du's weißt.« Er drückte die Mutter fest an sich. Und sie gab ihm einen Kuß auf die Nase.

Dann kam der Personenzug nach Berlin. Emil fiel der Mutter noch ein bißchen um den Hals. Dann kletterte er mit seinem Koffer in ein Abteil. Die Mutter reichte ihm die Blumen und die Wurstbrote nach und fragte, ob er Platz hätte. Er nickte.

»Also, Friedrichstraße aussteigen!«

Er nickte.

»Und die Großmutter wartet am Blumenkiosk.«

Er nickte.

»Und benimm dich, du *Schurke!*«

Er nickte.

»Und sei nett zu Pony Hütchen. Ihr werdet euch gar nicht mehr kennen.«

Er nickte.

»Und schreib mir.«

»Du auch mir.«

So wäre es wahrscheinlich noch stundenlang fortgegangen, wenn es nicht den Eisenbahnfahrplan gegeben

---

*das Wurstbrot*, Brot mit Butter und Wurst
*der Schurke*, hier: der freche Junge

hätte. Der Zugführer rief: »Alles einsteigen! Alles einsteigen!« Die Wagentüren klappten zu. Die Lokomotive *ruckte an.* Und fort ging's.

Die Mutter winkte noch lange mit dem Taschentuch. Dann drehte sie sich langsam um und ging nach Hause. Und weil sie das Taschentuch sowieso schon in der Hand hielt, weinte sie noch ein bißchen.

Aber nicht lange. Denn zu Hause wartete schon Frau Fleischermeister Augustin und wollte gründlich den Kopf gewaschen haben.

# Fragen

1. Was ist eine Pferdebahn?

2. Wen trafen Emil und seine Mutter?

3. Warum hatte Emil ein schlechtes Gewissen?

4. Woran erinnerte Frau Tischbein Emil?

5. Wo sollte Emil aussteigen?

---

*anrucken,* abfahren

# 3 Die Reise nach Berlin kann losgehen

Emil nahm seine Schülermütze ab und sagte: »Guten Tag, meine Herrschaften. Ist vielleicht noch ein Plätzchen frei?«

Natürlich war noch ein Platz frei. Und eine dicke Dame, die sich den linken Schuh ausgezogen hatte, weil er drückte, sagte zu ihrem Nachbarn, einem Mann: »Solche höflichen Kinder sind heutzutage selten. Wenn ich da an meine Jugend zurückdenke. Gott! Da herrschte ein anderer Ton.«

Daß es Leute gibt, die immer sagen: Gott, früher war alles besser, das wußte Emil längst. Und er hörte überhaupt nicht mehr hin, wenn jemand erklärte, früher sei die Luft gesünder gewesen, oder die Ochsen hätten größere Köpfe gehabt, denn das war meistens nicht wahr, und die Leute gehörten bloß zu der Sorte, die nicht zufrieden sein wollen, weil sie sonst zufrieden wären.

Er befühlte seine rechte Jackentasche und war erst beruhigt, als er das Kuvert knistern hörte. Die Mitreisenden sahen auch nicht gerade wie Diebe und *Mörder* aus. Neben dem Mann und der dicken Frau saß eine andere Frau. Und am Fenster, neben Emil, las ein Herr im *steifen Hut* die Zeitung.

Plötzlich legte er das Blatt weg, holte aus seiner Tasche eine Ecke Schokolade und sagte: »Na, junger Mann, wie wär's?«

»Ich bin so frei«, antwortete Emil und nahm die Schokolade. Dann nahm er schnell seine Mütze ab, verbeugte sich und meinte: »Emil Tischbein ist mein Name.« Die

---

*der Mörder,* einer, der Menschen totschlägt
*der steife Hut,* siehe Abbildung Seite 27

Mitreisenden lächelten. Der Herr lüftete nun auch ernst den steifen Hut und sagte: »Sehr angenehm, ich heiße Grundeis.«

Dann fragte die dicke Dame, die den linken Schuh ausgezogen hatte: »Lebt denn in Neustadt der Herr Kurzhals noch?«

»Ja freilich lebt Herr Kurzhals noch«, berichtete Emil, »kennen Sie ihn?«

»Ja, grüß ihn schön von Frau Jakob aus Groß-Grünau.«

»Ich fahre doch aber nach Berlin.«

»Das hat ja auch Zeit, bis du zurückkommst,« sagte Frau Jakob.

»So, so, nach Berlin fährst du?« fragte Herr Grundeis.

»Jawohl, und meine Großmutter wartet am Bahnhof Friedrichstraße am Blumenkiosk«, antwortete Emil und faßte sich wieder ans Jackett. Und das Kuvert knisterte, Gott sei dank, noch immer.

»Kennst du Berlin schon?«

»Nein.«

»Na, da wirst du aber staunen! In Berlin gibt es jetzt Häuser, die sind hundert Stockwerke hoch, und die Dächer hat man am Himmel festbinden müssen, damit sie nicht wegfliegen... Und wenn es jemand besonders eilig hat und er will in ein anderes Stadtviertel, so packt man ihn auf dem Postamt in eine Kiste und schießt sie wie einen *Rohrpost*brief zu dem Postamt, das in dem Viertel liegt, wo er hin möchte... Und wenn man kein Geld hat, geht man auf die Bank und läßt *sein Gehirn* als Pfand dort und kriegt dafür tausend Mark. Der Mensch kann näm-

---

*die Rohrpost*, die Postsendung, die durch ein Rohr geschickt wird
*das Gehirn*, das Denkorgan im Inneren des Kopfes (Verstand)

lich nur zwei Tage ohne Gehirn leben; und er kriegt es von der Bank erst wieder, wenn er zwölfhundert Mark zurückzahlt . . .«

»Sie haben wohl Ihr Gehirn auch gerade auf der Bank«, sagte der Mann neben der Frau Jakob zu dem Herrn im steifen Hut und fügte hinzu: »Lassen Sie doch den Unsinn!«

Emil lachte gezwungen. Und die beiden Herren redeten eine Zeitlang recht unhöflich miteinander. Emil dachte: Was geht das mich an! und packte seine Wurstbrote aus, obwohl er eben erst Mittag gegessen hatte. Wenig später hielt der Zug auf einem grossen Bahnhof. Emil sah kein Stationsschild, und er verstand auch nicht, was *der Schaffner* vor dem Fenster brüllte. Fast alle Fahrgäste stiegen aus, nur der Mann im steifen Hut blieb.

»Also grüße Herrn Kurzhals schön«, sagte Frau Jakob noch. Emil nickte.

Und dann waren er und der Herr mit dem steifen Hut allein. Das gefiel Emil nicht sehr. Ein Mann, der Schokolade verteilt und verrückte Geschichten erzählt, *ist nichts Genaues*. Emil wollte wieder nach dem Kuvert fassen. Er wagte es aber nicht, sondern ging, als der Zug weiterfuhr, auf die Toilette, holte dort das Kuvert aus der Tasche, zählte das Geld – es stimmte immer noch – und war ratlos, was er machen sollte. Endlich kam ihm ein Gedanke. Er nahm eine Nadel, die er im Jackettkragen fand, steckte sie erst durch die drei Scheine, dann durch das Kuvert und schließlich durch das *Anzugfutter*. Er nagelte sozusagen sein Geld fest. So, dachte er, nun

---

*der Schaffner,* der Eisenbahnbeamte
*nichts Genaues sein,* verdächtig sein
*das Anzugfutter,* der Stoff innen im Anzug

Gepäcknetz  die Notbremse

das Kupee

kann nichts passieren. Und dann ging er wieder ins *Kupee*.

Herr Grundeis hatte es sich in einer Ecke gemütlich gemacht und schlief. Emil war froh, daß er sich nicht zu unterhalten brauchte, und blickte durchs Fenster. Bäume, Windmühlen, Felder, Fabriken, Kühe, winkende Bauern zogen draußen vorbei. Und es war sehr hübsch anzusehen, wie sich alles vorüberdrehte, fast wie auf einer Grammophonplatte. Aber schließlich kann man nicht stundenlang durchs Fenster starren.

---

*das Kupee*, das Abteil

Herr Grundeis schlief weiter und *schnarchte* ein bißchen. Emil lehnte sich in die entgegengesetzte Ecke des Kupees und betrachtete den Schläfer. Warum der Mann nur immer den Hut aufbehielt? Und ein längliches Gesicht hatte er, einen ganz schmalen schwarzen Schnurrbart und hundert Falten um den Mund, und die Ohren waren sehr dünn und standen weit ab.

Wupp! Emil erschrak. Beinahe wäre er eingeschlafen. Das durfte er ja nicht. Wenn doch jemand zugestiegen wäre! Der Zug hielt ein paar Mal, aber es kam kein Mensch. Dabei war es erst vier Uhr, und Emil hatte noch über zwei Stunden zu fahren. Er kniff sich in die Beine. In der Schule half das immer in Herrn Bremsers Geschichtsstunden.

Eine Weile ging's. Und Emil dachte an Pony Hütchen. Aber er konnte sich gar nicht mehr ihr Gesicht vorstellen. Er wußte nur, daß sie – als sie und die Großmutter und Tante Martha in Neustadt gewesen waren – mit ihm hatte boxen wollen. Er hatte natürlich nein gesagt, weil sie *Papiergewicht* war und er mindestens *Halbschwergewicht*. Das wäre unfair, hatte er damals gesagt. Und wenn er ihr einen Uppercut geben würde, müsse man sie hinterher von der Wand abkratzen. Sie hatte aber erst Ruhe gegeben, als Tante Martha dazwischenkam.

Schwupp! Er fiel fast von der Bank. Schon wieder eingeschlafen? Er kniff und kniff sich in die Beine. Und trotzdem wollte es nichts nützen.

Er versuchte es mit Knopfzählen. Er zählte von oben nach unten und dann noch einmal von unten nach oben.

---

*schnarchen,* beim Schlafen laut atmen
*Papiergewicht,* bei Boxern etwa 45 kg
*Halbschwergewicht,* bei Boxern etwa 75 kg

Von oben nach unten waren es dreiundzwanzig Knöpfe. Und von unten nach oben vierundzwanzig. Emil lehnte sich zurück und überlegte, woran das wohl liegen könnte.

Und dabei schlief er ein.

# Fragen

1. Wie viele Personen waren in dem Kupee?

2. Wie hieß der Herr, der Emil Schokolade gab?

3. Was erzählte er Emil von Berlin?

4. Was sagte der andere Mann dazu?

5. Wie sah der Mann aus, der von Berlin erzählte?

6. Was hatte er die ganze Zeit auf dem Kopf?

7. Was machte Emil mit seinem Geld?

8. Wie versuchte Emil, sich wachzuhalten?

# 4 Ein Traum, in dem viel gerannt wird

Plötzlich war es Emil, als führe der Zug immer im Kreise herum, wie die kleinen Eisenbahnen es tun, mit denen die Kinder im Zimmer spielen. Er sah zum Fenster hinaus und fand das sehr seltsam. Der Kreis wurde immer enger. Die Lokomotive kam dem letzten Wagen immer näher. Der Zug drehte sich um sich selber wie ein Hund, der sich in den Schwanz beißen will. Und in dem schwarzen rasenden Kreise standen Bäume und eine Mühle aus Glas und ein großes Haus mit zweihundert Stockwerken.

Emil wollte nach der Zeit sehen und zog die Uhr aus der Tasche. Er zog und zog, und schließlich war es die Standuhr aus Mutters Stube. Er sah aufs *Ziffer*blatt und da stand drauf: 185 Stunden-km. Er blickte wieder aus dem Fenster. Die Lokomotive kam dem letzten Wagen immer näher. Und er hatte große Angst. Denn wenn die Lokomotive gegen den letzten Wagen fuhr, gab es natürlich ein Zugunglück. Das war klar. Emil wollte das unter keinen Umständen abwarten. Er öffnete die Tür und lief auf dem *Gangbrett* entlang. Vielleicht war der Lokomotivführer eingeschlafen? Emil blickte, während er nach vorn kletterte, in die Kupeefenster. Der Zug war leer. Nur einen einzigen Mann sah Emil, der hatte einen steifen Hut aus Schokolade auf, brach ein Stück von der

---

*die Ziffer,* die Zahl
*das Gangbrett,* siehe Abbildung Seite 18

*Hutkrempe* ab und steckte es in den Mund. Emil klopfte an die Fensterscheibe und zeigte nach der Lokomotive, aber der Mann lachte nur und brach sich noch ein Stück Schokolade ab, weil es so gut schmeckte.

Endlich war Emil am Kohlenwagen. Dann kletterte er zum Lokomotivführer hinauf. Der saß auf einem Brett, schwang die Peitsche und hielt Zügel, als seien Pferde vor den Zug gespannt. Und so war es tatsächlich! Drei mal drei Pferde zogen den Zug. Sie hatten silberne Rollschuhe an den Hufen, fuhren damit auf den Schienen und sangen: Muß i denn, muß i denn zum Städtele hinaus.

Emil rüttelte den Kutscher und schrie: »Es gibt ein Unglück!« Da sah er, daß der Kutscher niemand anders war, als Herr Wachtmeister Jeschke.

Der blickte ihn durchdringend an und rief: »Wer waren die anderen Jungens? Wer hat den Großherzog angeschmiert?«

»Ich!« sagte Emil.

»Wer noch?«

»Das sage ich nicht!«

»Dann fahren wir eben weiter im Kreise!«

Und Wachtmeister Jeschke schlug auf seine *Gäule* los, daß sie noch schneller als vorher auf den letzten Wagen losflogen. Auf dem letzten Wagen aber saß Frau Jakob und hatte gräßliche Angst.

die Hutkrempe

der steife Hut

---

*der Gaul*, das Pferd

»Ich gebe Ihnen zwanzig Mark, Herr Wachtmeister,«
schrie Emil.

»Laß den Unsinn!« rief Jeschke und schlug mit der
Peitsche wie verrückt auf die Pferde ein.

Da hielt es Emil nicht länger aus und sprang aus dem
Zug. Er rollte den ganzen Abhang hinunter, aber es
schadete ihm nichts. Er stand auf und sah sich nach
dem Zug um. Der stand still, und die neun Pferde dreh-
ten die Köpfe nach Emil um. Wachtmeister Jeschke war
aufgesprungen, schlug die Tiere mit der Peitsche und
brüllte: »Hü! Los! Hinter ihm her!« Und da sprangen die
neun Pferde aus den Schienen und auf Emil zu, und die
Wagen hüpften wie Gummibälle.

Emil rannte, was er konnte, davon. Über eine Wiese,
dem Wolkenkratzer zu. Manchmal sah er sich um: der
Zug donnerte hinter ihm her. Emil lief weiter.

In dem Haus, das zweihundert Stockwerke hoch war,
befand sich ein großes schwarzes *Tor*. Er rannte hinein
und hindurch und am andern Ende wieder hinaus. Der
Zug kam hinter ihm her. Emil hätte sich am liebsten in
eine Ecke gesetzt und geschlafen, denn er war so schrecklich müde und zitterte am ganzen Leibe. Aber er durfte
nicht einschlafen! Der Zug raste schon durchs Haus.

Emil sah eine Eisen*leiter*. Die ging am Hause hoch,
bis zum Dach. Und er begann zu klettern. Zum Glück war
er ein guter *Turner*. Während er kletterte, zählte er die
Stockwerke. In der 50. Etage wagte er es, sich umzu-
drehen. Die Bäume waren ganz klein geworden, und die
gläserne Mühle war kaum noch zu erkennen. Aber, o

---

*das Tor,* der Eingang
*die Leiter,* die Treppe
*der Turner,* der Sportsmann

Schreck! die Eisenbahn kam das Haus hinaufgefahren! Emil kletterte weiter und immer höher. Und der Zug fuhr die Leiter hinauf, als ob es Schienen wären.

100. Etage, 120. Etage, 140. Etage, 160. Etage, 180. Etage, 190. Etage, 200. Etage! Emil stand auf dem Dach und wußte nicht mehr, was er beginnen sollte. Schon waren die Pferde zu hören. Da lief der Junge über das Dach hin bis zum anderen Ende, zog sein Taschentuch hervor und breitete es aus. Und als die Pferde schwitzend über den Dachrand krochen und der Zug hinterher, hob Emil sein ausgebreitetes Taschentuch und sprang. Er hörte noch, wie der Zug die *Schornsteine* kaputtfuhr, und dann plumpste er, krach! auf eine Wiese.

Erst blieb er müde liegen, mit geschlossenen Augen, und hatte eigentlich Lust, einen schönen Traum zu träumen. Doch, weil er noch immer nicht ganz beruhigt war, blickte er an dem großen Haus hinauf und sah, wie die neun Pferde oben auf dem Dach Regenschirme aufspannten. Und der Wachtmeister Jeschke hatte auch einen Schirm und schlug damit auf die Pferde los. Sie setzten sich auf die Hinterbeine und sprangen herunter. Und nun segelte die Eisenbahn auf die Wiese herab und wurde größer und größer.

Emil sprang wieder auf und rannte über die Wiese auf die gläserne Mühle zu. Sie war durchsichtig, und er sah seine Mutter drinnen, wie sie gerade Frau Augustin die Haare wusch. Gott sei Dank, dachte er, und rannte durch die Hintertür in die Mühle.

»Muttchen!« rief er, »was mach ich bloß?«

»Was ist denn los, mein Junge?« fragte die Mutter und wusch weiter.

---

*der Schornstein,* siehe Abbildung Seite 39

»Sieh nur mal durch die Wand!«

Frau Tischbein blickte hinaus und sah gerade, wie die Pferde und der Zug auf der Wiese landeten und auf die Mühle losliefen.

»Das ist doch Wachtmeister Jeschke«, sagte die Mutter und schüttelte *erstaunt* den Kopf.

»Er saust schon die ganze Zeit wie verrückt hinter mir her!«

»Na und?«

»Ich habe neulich dem Großherzog eine rote Nase und einen Schnurrbart ins Gesicht gemalt.«

»Ja, wo solltest du denn den Schnurrbart sonst hinmalen?« fragte Frau Augustin.

»Nirgends hin, Frau Augustin. Aber das ist nicht das Schlimmste. Er wollte auch wissen, wer mit dabei war. Und das kann ich ihm nicht sagen, weil es doch meine Freunde waren.«

»Da hat Emil recht«, meinte die Mutter, »aber was machen wir nun?«

»Setzen Sie mal den Motor in Gang, liebe Frau Tischbein«, sagte Frau Augustin.

Emils Mutter tat das, und da begannen sich die Mühlenflügel zu drehen, und weil sie aus Glas waren, und weil die Sonne schien, schimmerten sie und glänzten, daß die Pferde scheu wurden und nicht weiter wollten. Und Wachtmeister Jeschke *fluchte*, daß man es durch die gläsernen Wände hören konnte. Aber die Pferde wollten nicht weiter.

»So, nun waschen Sie meinen Kopf ruhig weiter«, sagte

---

*erstaunt,* verwundert
*fluchen,* schelten, schimpfen

Frau Augustin, »Ihrem Jungen kann nichts mehr passieren«.

Emil setzte sich auf einen Stuhl, der war auch aus Glas, und pfiff ein Lied. Dann lachte er laut und sagte: »Wenn ich früher gewußt hätte, daß du hier bist, wäre ich doch gar nicht erst das dumme Haus hochgeklettert.«

»Hoffentlich hast du dir nicht den Anzug zerrissen!« sagte die Mutter. Dann fragte sie: »Hast du auf das Geld gut aufgepaßt?«

Da kriegte Emil einen mächtigen Schreck, und er fiel vom Stuhl herunter.

Und wachte auf.

# Fragen

1. Was tat der Zug plötzlich?

2. Warum kletterte Emil das Hochhaus hinauf?

3. Wer war in der gläsernen Mühle?

4. Wer half Emil?

5. Warum wollten die Pferde nicht weiter?

6. Warum erwachte Emil?

# 5 Emil steigt an der falschen Station aus

Als er aufwachte, setzte sich die Bahn eben wieder in Bewegung. Er war, während er schlief, von der Bank gefallen, lag jetzt am Boden und war sehr erschrocken. Er wußte noch nicht recht, warum. Sein Herz klopfte wie ein *Dampfhammer*. Da saß er nun in der Eisenbahn und hatte fast vergessen, wo er war. Dann fiel es ihm nach und nach wieder ein. Richtig, er fuhr nach Berlin. Und war eingeschlafen. Genau wie der Herr im steifen Hut...

Emil fuhr hoch und flüsterte: »Er ist ja fort!« Die Knie zitterten ihm. Ganz langsam stand er auf und klopfte sich mechanisch den Anzug sauber. Jetzt war die nächste Frage: Ist das Geld noch da? Und vor dieser Frage hatte er eine unbeschreibliche Angst.

Lange Zeit wagte er nicht, sich zu rühren. Dort drüben hatte der Mann, der Grundeis hieß, gesessen und geschlafen und geschnarcht. Und nun war er fort. Natürlich konnte alles in Ordnung sein. Denn eigentlich war es dumm, gleich ans Schlimmste zu denken. Es mußten ja nun nicht gleich alle Menschen nach Berlin-Friedrichstraße fahren, nur weil er hinfuhr. Und das Geld war gewiß noch da. Erstens steckte es in der Tasche. Zweitens steckte es im Briefumschlag. Und drittens saß es mit einer Nadel am Futter fest. Also, er griff sich langsam in die rechte innere Tasche.

Die Tasche war leer! Das Geld war fort!

Emil fuhr mit der linken Hand in der Tasche herum. Er befühlte und preßte die Jacke von außen mit der rech-

---

*der Dampfhammer,* der mechanische Hammer

ten. Es blieb dabei: Die Tasche war leer, und das Geld war weg.

»Au!« Emil zog die Hand aus der Tasche. Und nicht bloß die Hand, sondern auch die Nadel. Nichts als *die Stecknadel* war übriggeblieben. Und sie saß im linken Zeigefinger, daß er blutete.

Er wickelte das Taschentuch um den Zeigefinger und weinte. Natürlich nicht wegen des bißchen Bluts. Vor vierzehn Tagen hatte er fast die Straßenlaterne umgerannt, und Emil hatte noch jetzt einen *Buckel auf der Stirn*. Aber geheult hatte er keine Sekunde.

Er weinte wegen des Geldes. Und er weinte wegen seiner Mutter. Wer das nicht versteht, dem ist nicht zu helfen. Emil wußte, wie seine Mutter monatelang gearbeitet hatte, um die hundertvierzig Mark für die Großmutter zu sparen und um ihn nach Berlin schicken zu können. Und kaum saß der Herr Sohn im Zug, so lehnte er sich auch schon in eine Ecke, schlief und träumte verrücktes Zeug und ließ sich von einem gemeinen Kerl das Geld stehlen. Und da sollte er nicht weinen? Was sollte er nun anfangen? In Berlin aussteigen und zur Großmutter sagen: Da bin ich. Aber Geld kriegst du keins, daß du es weißt. Gib mir lieber rasch das Reisegeld, damit ich wieder nach Neustadt fahren kann. Sonst muß ich laufen?

der Buckel auf der Stirn

die Stecknadel

Prachtvoll war das! Die Mutter hatte umsonst gespart. Die Großmutter bekam keinen Pfennig. In Berlin konnte er nicht bleiben. Nach Hause durfte er nicht fahren. Und alles das wegen eines Kerls, der den Kindern Schokolade schenkte und tat, als ob er schliefe. Und dann stahl er ihr Geld. Pfui, war das eine feine Welt!

Emil preßte die Tränen zurück und sah sich um. Wenn er die *Notbremse* zog, würde der Zug sofort stehenbleiben. Und dann käme ein Schaffner. Und noch einer. Und immer noch einer. Und alle würden fragen: »Was ist los?«

»Mein Geld ist gestohlen worden«, würde er sagen.

»Ein anderes Mal paßt du besser auf«, würden sie antworten. »Wie heißt du? Wo wohnst du? Einmal die Notbremse ziehen kostet hundert Mark. Die Rechnung wird geschickt.«

In Schnellzügen konnte man wenigstens durch die Wagen laufen bis zum *Dienstabteil* und Diebstähle melden. Aber hier! In so einem *Bummelzug!* Da mußte man bis zur nächsten Station warten, und inzwischen war der Mensch im steifen Hut über alle Berge. Nicht einmal die Station, wo der Kerl ausgestiegen war, wußte Emil. Wie spät mochte es sein? Wann kam Berlin? An den Fenstern des Zuges wanderten große Häuser vorbei und Villen mit Gärten und dann wieder hohe Schornsteine. Wahrscheinlich war das schon Berlin. An der nächsten Station mußte er den Schaffner rufen und ihm alles erzählen. Und der würde es sofort der Polizei melden!

Auch das noch. Jetzt kriegte er es auch noch mit der Polizei zu tun. Nun konnte Wachtmeister Jeschke natür-

---

*die Notbremse*, siehe Abbildung Seite 23
*das Dienstabteil*, das Kupee für das Zugpersonal
*der Bummelzug*, der Personenzug

lich nicht mehr schweigen, sondern mußte melden: Der Realschüler Emil Tischbein aus Neustadt gefällt mir nicht. Erst schmiert er Denkmäler voll. Und dann läßt er sich hundertvierzig Mark stehlen. Vielleicht sind sie ihm gar nicht gestohlen worden? Wer Denkmäler beschmiert, der lügt auch. Wahrscheinlich hat er das Geld im Walde vergraben und will damit nach Amerika. Es gibt keinen Dieb. Der Realschüler Emil Tischbein ist selber der Dieb. Bitte, Herr Polizeipräsident, verhaften Sie ihn.

Schrecklich. Nicht einmal zur Polizei konnte er gehen.

Er holte den Koffer aus dem Gepäcknetz, setzte die Mütze auf, steckte die Nadel wieder in den Jackenaufschlag und machte sich fertig. Er hatte zwar keine Ahnung, was er beginnen sollte, aber hier, in diesem Kupee, hielt er es keine fünf Minuten länger aus. Das stand fest.

Inzwischen *verlangsamte* der Zug seine Geschwindigkeit. Man fuhr an Bahnsteigen vorbei. Ein paar Gepäckträger liefen neben den Wagen her. Der Zug hielt!

Emil schaute durchs Fenster und erblickte ein Schild. Darauf stand: ZOOLOG. GARTEN. Die Türen flogen auf. Leute kletterten aus den Abteilen.

Emil beugte sich weit aus dem Fenster und suchte den Zugführer. Da erblickte er zwischen vielen Menschen einen steifen Hut. Wenn das der Dieb war? Vielleicht war er, nachdem er Emil bestohlen hatte, nur in einen anderen Wagen gegangen?

Im nächsten Augenblick stand Emil auf dem Bahnsteig, setzte den Koffer hin, stieg noch einmal ein, weil er die Blumen vergessen hatte, stieg wieder aus, hob den Koffer hoch und rannte, so sehr er konnte, dem Ausgang zu.

---

*verlangsamen,* langsamer fahren

Wo war der steife Hut? Der Junge lief den Leuten vor den Beinen herum, stieß gegen jemand mit dem Koffer und rannte weiter. Die Menschenmenge wurde immer dichter.

Da! Dort war der steife Hut! Himmel, da drüben war noch einer! Emil konnte den Koffer kaum noch schleppen. Am liebsten hätte er ihn einfach stehenlassen. Doch dann wäre ihm auch der noch gestohlen worden!

Endlich hatte er sich bis dicht an die steifen Hüte herangedrängt.

Der konnte es sein! War er's?

Nein.

Dort war der nächste.

Nein, der Mann war zu klein.

Emil schlängelte sich wie ein Indianer durch die Menschenmassen.

Dort, dort!

Das war der Kerl. Gott sei Dank! Das war der Grundeis. Er schien es eilig zu haben.

»Warte, nur, du Kanaille«, knurrte Emil, »dich kriegen wir!« Dann gab er seine Fahrkarte ab, nahm den Koffer in die andere Hand, *klemmte* den Blumenstrauß *unter den* rechten *Arm* und lief hinter dem Mann die Treppe hinunter.

Jetzt kam's drauf an.

# Fragen

1. Was entdeckte Emil, als er aufwachte?
2. Warum weinte er?
3. Wen erblickte er, als er aus dem Fenster sah?
4. Warum stieg Emil an der falschen Station aus?

---

*unter den Arm klemmen,* mit dem Arm festhalten

# 6 Straßenbahnlinie 177

Am liebsten wäre er auf den Kerl losgerannt, hätte sich vor ihn hingestellt und gerufen: Her mit dem Geld! Doch der sah nicht so aus, als würde er dann antworten: Aber gern, mein gutes Kind. Hier hast du's. Ich will es bestimmt nicht wieder tun. Ganz so einfach lag die Sache nicht. Das Wichtigste war, er durfte den Mann nicht aus den Augen verlieren.

Emil versteckte sich hinter einer großen breiten Dame und guckte manchmal an ihr vorbei, ob der andere noch zu sehen war. Der Mann war nun am Bahnhofsportal *angelangt*, blieb stehen, blickte sich um und musterte die Leute, die hinter ihm her drängten, als suche er jemand. Emil preßte sich ganz dicht an die große Dame und kam dem anderen immer näher. Was sollte jetzt werden? Gleich würde er an ihm vorbei müssen, und dann war es aus mit den Heimlichkeiten. Ob ihm die Dame helfen würde? Aber sie würde ihm sicher nicht glauben. Und der Dieb würde sagen: Bitte, meine Dame, habe ich es wohl nötig, kleine Kinder *auszurauben?* Und dann würden alle den Jungen ansehen und schreien: Das ist doch *der Gipfel! Verleumdet* erwachsene Menschen! Nein, die Jugend von heute ist doch zu frech. Emil klapperte schon mit den Zähnen.

---

*anlangen,* ankommen
*ausrauben,* bestehlen
*der Gipfel,* der Höhepunkt
*jemanden verleumden,* etwas Falsches über jemanden erzählen

Da drehte der Mann seinen Kopf glücklicherweise wieder weg und trat ins Freie. Der Junge sprang blitzschnell hinter die Tür, stellte seinen Koffer nieder und blickte durch die Scheibe. Donnerwetter, tat ihm der Arm weh!

Der Dieb ging langsam über die Straße, sah noch einmal rückwärts und spazierte ziemlich beruhigt weiter. Dann kam eine Straßenbahn mit der Nummer 177 von links angefahren und hielt. Der Mann stieg auf den Vorderwagen und setzte sich an einen Fensterplatz.

Emil hob wieder seinen Koffer auf, lief gebückt an der Tür vorbei, die Halle entlang, fand eine andere Tür, rannte auf die Straße und erreichte, von hinten her, den Anhängewagen gerade, als die Bahn losfuhr. Er warf den Koffer hinauf, kletterte nach, schob ihn in eine Ecke und stellte sich davor. So, das war überstanden!

Doch, was sollte nun werden? Wenn der andere während der Fahrt absprang, war das Geld für immer weg. Denn mit dem Koffer abspringen, das war zu gefährlich.

Diese Autos! Sie fuhren hastig an der Straßenbahn vorbei. Andere kamen nach. So ein Krach! Autos, Straßenbahnen, zweistöckige Autobusse! Zeitungsverkäufer an allen Straßenecken. Schaufenster mit Blumen, Früchten, Büchern, Uhren, Kleidern. Und hohe, hohe Häuser.

Das war also Berlin.

Emil hätte gern alles in größter Ruhe betrachtet. Aber er hatte keine Zeit dazu. Im vorderen Wagen saß ein Mann, der hatte Emils Geld und konnte jeden Augenblick verschwinden. Dann war es aus. Denn zwischen den Autos und Menschen und Autobussen fand man niemanden wieder. Emil steckte den Kopf hinaus. Wenn nun der Kerl schon weg war? Dann fuhr er hier oben allein weiter, wußte nicht wohin, wußte nicht warum, und die Großmutter wartete am Bahnhof Friedrichstraße, am Blu-

der Schornstein

menkiosk, und hatte keine Ahnung, daß ihr *Enkel* inzwischen auf der Linie 177 durch Berlin fuhr und große Sorgen hatte. Es war zum Heulen!

Da hielt die Straßenbahn zum erstenmal. Es stieg niemand aus. Es drängten nur viele neue Fahrgäste in die Bahn. Auch an Emil vorbei. Ein Herr schimpfte, weil der Junge im Wege war.

»Siehst du nicht, daß Leute mit wollen?« brummte er ärgerlich.

Der Schaffner zog an einer Schnur. Es klingelte. Und die Straßenbahn fuhr weiter. Emil stellte sich wieder in seine Ecke, wurde gedrückt und auf die Füße getreten und dachte erschrocken: Ich habe ja kein Geld! Wenn der Schaffner kommt, muß ich einen *Fahrschein* lösen. Und wenn ich es nicht kann, schmeißt er mich 'raus. Und dann kann ich mich gleich begraben lassen.

Er sah sich die Leute an, die neben ihm standen. Konnte er einen von ihnen fragen: Borgen Sie mir doch bitte das Fahrgeld! Ach, die Menschen hatten so ernste Gesichter! Der eine las Zeitung. Zwei andere unterhielten sich über einen großen Bankeinbruch.

»Einen richtigen *Schacht* haben sie gegraben«, erzählte der erste, »und dann haben sie, wird gesagt, mehrere Millionen geraubt.«

»Es wird aber kolossal schwierig sein festzustellen, wieviel es eigentlich war«, sagte der zweite.

»Ja, in Wirklichkeit kann es nur ein Haufen wertloses Papiergeld gewesen sein«, meinte der erste. Und beide lachten ein bißchen.

---

*der Enkel,* das Kindeskind
*der Fahrschein,* das Billett
*der Schacht,* der Tunnel

Ganz genau so wird es mir gehen, dachte Emil traurig. Ich werde sagen, Herr Grundeis hat mir hundertvierzig Mark gestohlen. Und niemand wird es mir glauben. Und der Dieb wird sagen, das sei eine Frechheit von mir, und es wären nur drei Mark fünfzig gewesen. So eine verdammte Geschichte!

Der Schaffner kam immer näher. Jetzt fragte er schon: »Wer hat noch keinen Fahrschein?«

Er riß große weiße Zettel ab und machte mit einer Zange eine Reihe Löcher hinein. Die Leute auf dem Perron gaben ihm Geld und bekamen dafür Fahrscheine.

»Na, und du?« fragte er den Jungen.

»Ich habe mein Geld verloren, Herr Schaffner«, antwortete Emil.

»Geld verloren? Das kenne ich. Und wo willst du hin?«

»Das . . . das weiß ich noch nicht,« stotterte Emil.

»So. Na, da steige mal an der nächsten Station wieder ab und überlege dir erst, wo du hin willst.«

»Nein, das geht nicht. Ich muß hier oben bleiben, Herr Schaffner. Bitte schön.«

»Wenn ich dir sage, du sollst absteigen, steigst du ab. Verstanden?«

»Geben Sie dem Jungen einen Fahrschein!« sagte da der Herr, der Zeitung gelesen hatte. Er gab dem Schaffner Geld. Und der Schaffner gab Emil einen Fahrschein und erzählte dem Herrn: »Was glauben Sie, wie viele Jungen da täglich ankommen und sagen: Ich habe das Geld vergessen. Hinterher lachen sie uns aus.«

»Der hier lacht uns nicht aus«, antwortete der Herr.

»Haben Sie vielen Dank, mein Herr!« sagte Emil.

»Bitte schön, nichts zu danken«, meinte der Herr und schaute wieder in seine Zeitung.

Dann hielt die Straßenbahn wieder. Emil beugte sich

hinaus, ob der Mann im steifen Hut ausstiege. Doch es war nichts zu sehen.

»Darf ich vielleicht um Ihre Adresse bitten,« fragte Emil den Herrn.

»Wozu denn?«

»Damit ich Ihnen das Geld zurückgeben kann, sobald ich welches habe. Tischbein ist mein Name. Emil Tischbein aus Neustadt.

»Nein«, sagte der Herr, »den Fahrschein habe ich dir selbstverständlich geschenkt. Soll ich dir noch etwas geben?«

*»Unter keinen Umständen«*, erklärte Emil fest, »das könnte ich bestimmt nicht annehmen.«

»Wie du willst«, meinte der Herr und guckte wieder in die Zeitung.

Und die Straßenbahn fuhr. Und sie hielt. Und sie fuhr weiter. Emil las den Namen der schönen breiten Straße. Kaiserallee hieß sie. Er fuhr und wußte nicht, wohin. Im andern Wagen saß ein Dieb. Und vielleicht saßen und standen noch andere Diebe in der Bahn. Niemand kümmerte sich um ihn. Ein fremder Herr hatte ihm zwar einen Fahrschein geschenkt, doch nun las er schon wieder Zeitung.

Die Stadt war so groß. Und Emil war so klein. Und kein Mensch wollte wissen, warum er kein Geld hatte, und warum er nicht wußte, wo er aussteigen sollte. Vier Millionen Menschen lebten in Berlin, und keiner interessierte sich für Emil Tischbein. Jeder hat mit seinen eigenen Sorgen und Freuden genug zu tun. Und jeder denkt: Mensch, laß mich bloß in Ruhe!

Was würde werden? Emil fühlte sich sehr, sehr allein.

---

*unter keinen Umständen,* bestimmt nicht

# Fragen

1. Wohin ging der Mann mit dem steifen Hut?

2. Warum wollte Emil nicht Erwachsene um Hilfe bitten?

3. Wie erreichte Emil die Straßenbahn?

4. Woran dachte er, während er fuhr?

5. Warum konnte Emil in der Straßenbahn bleiben?

6. Wie fühlte sich Emil in Berlin?

# 7 Große Aufregung
## in der Schumannstraße

Während Emil auf der Straßenbahn 177 die Kaiserallee hinunterfuhr und nicht wußte, wo er landen würde, warteten die Großmutter und Pony Hütchen, seine Kusine, im Bahnhof Friedrichstraße auf ihn. Sie hatten sich am Blumenkiosk aufgestellt und blickten immer wieder nach der Uhr. Viele Leute kamen vorüber. Doch Emil war nicht dabei.

»Wahrscheinlich ist er mächtig gewachsen, was?« fragte Pony Hütchen und schob ihr ganz neues Fahrrad hin und her. Sie hatte es eigentlich gar nicht mitnehmen sollen. Doch sie hatte so lange geplagt, bis die Großmutter erklärte: »Nimm's mit, *alberne Liese!*« Nun war die alberne Liese guter Laune und freute sich auf Emils respektvollen Blick. »Sicher findet er es *oberfein*«, sagte sie.

Die Großmutter wurde unruhig: »Ich möchte bloß wissen, was das heißen soll. Jetzt ist es schon 18 Uhr 20. Der Zug müßte doch längst da sein.«

Sie warteten noch ein paar Minuten. Dann schickte die Großmutter das kleine Mädchen fort, um zu fragen.

Pony Hütchen nahm natürlich ihr Rad mit. »Können Sie mir nicht erklären, wo der Zug aus Neustadt bleibt, Herr Inspektor?« fragte sie den Beamten, der aufpaßte, daß jeder ein Billett mitbrachte.

---

*die alberne Liese,* das dumme Mädchen
*oberfein,* sehr fein

»Neustadt? Neustadt?« überlegte er, »ach so, 18 Uhr 17! Der Zug ist längst 'rein.«

»Ach, das ist aber schade. Wir warten nämlich dort drüben am Blumenkiosk auf meinen Vetter Emil.«

»Freut mich, freut mich«, sagte der Mann.

»Wieso freut Sie das, Herr Inspektor?« fragte Pony neugierig.

Der Beamte antwortete nicht und drehte sich um.

»Na, Sie sind aber einer«, sagte Pony sauer. »Auf Wiedersehen!«

Ein paar Leute lachten. Der Beamte biß sich ärgerlich auf die Lippen. Und Pony Hütchen trabte zum Blumenkiosk.

»Der Zug ist längst 'rein, Großmutter.«

»Was mag da passiert sein?« dachte die alte Dame. »Ob er verkehrt ausgestiegen ist? Aber wir haben es doch ganz genau beschrieben!«

»Ich werde daraus nicht klug«, meinte Pony. »Sicher ist er verkehrt ausgestiegen! Du wirst sehen, daß ich recht habe.«

Und dann warteten sie von neuem. Fünf Minuten. Noch mal fünf Minuten.

»Das nützt uns aber wirklich nichts«, sagte Pony zur Großmutter. »Ob es noch einen anderen Blumenkiosk gibt?«

»Du kannst ja mal nachsehen. Aber mach schnell!«

Hütchen nahm wieder ihr Rad und inspizierte den Bahnhof, fragte auch noch zwei Eisenbahnbeamten und kam stolz zurück.

»Also«, erzählte sie, »Blumenkioske gibt's keine sonst. Was wollte ich noch sagen? Richtig, der nächste Zug aus Neustadt kommt hier um 20 Uhr 33 an. Wir gehen jetzt hübsch nach Hause. Und Punkt acht fahre ich mit meinem Rad wieder hierher. Wenn er dann noch immer nicht da ist, kriegt er *einen Brief* von mir, der *sich gewaschen hat.*«

Die Großmutter machte ein besorgtes Gesicht und schüttelte den Kopf. »Die Sache gefällt mir nicht. Die Sache gefällt mir nicht«, erklärte sie.

Sie gingen langsam nach Hause. Unterwegs fragte Pony Hütchen: »Großmutter, willst du dich auf die *Lenkstange* setzen?«

»Halte den Mund!«

»Wieso? Schwerer als Zicklers Arthur bist du auch nicht, und der setzt sich oft darauf, wenn ich fahre.«

»Wenn das noch ein einziges Mal vorkommt, nimmt dir dein Vater das Rad für immer weg.«

»Ach, euch darf man aber auch gar nichts erzählen,« jammerte Pony.

Als sie zu Hause – Schumannstraße 15 – angekommen waren, gab es bei Ponys Eltern, Heimbold hießen sie, große Aufregung. Jeder wollte wissen, wo Emil war, und keiner wußte es ...

Der Vater riet, an Emils Mutter zu telegrafieren.

»Um Gottes willen!« rief seine Frau, Ponys Mutter. »Wir gehen um acht noch einmal auf den Bahnhof. Vielleicht kommt er mit dem nächsten Zug.«

»Hoffentlich«, jammerte die Großmutter, »die Sache gefällt mir nicht. Die Sache gefällt mir nicht!«

»Die Sache gefällt mir nicht«, sagte Pony Hütchen bedenklich.

---

*ein Brief, der sich gewaschen hat,* ein sehr scharfer Brief
*die Lenkstange,* das Fahrradsteuer

# Fragen

1. Wer wartete am Blumenkiosk?

2. Was hatte Pony Hütchen mitgebracht?

3. Warum war die Großmutter unruhig?

4. Mit wem sprach Pony Hütchen?

5. Wann kam der nächste Zug aus Neustadt?

6. Was untersuchte Pony Hütchen noch?

7. Was wollte Ponys Vater tun?

8. Warum durfte er das wohl nicht?

# 8 Der Junge mit der Hupe taucht auf

In der Trautenaustraße, Ecke Kaiserallee, verließ der Mann im steifen Hut die Straßenbahn. Emil sah's, nahm Koffer und Blumenstrauß, sagte zu dem Herrn, der die Zeitung las: »Haben Sie nochmals vielen Dank, mein Herr!« und kletterte vom Wagen.

Der Dieb ging am Vorderwagen vorbei, über *die Gleise* und steuerte nach der anderen Seite der Straße. Dann fuhr die Bahn weiter, und Emil bemerkte, daß der Mann erst stehenblieb und dann die Stufen zu einer Café-Terrasse hinaufschritt.

Jetzt hieß es wieder einmal vorsichtig sein. Wie ein Detektiv. Emil orientierte sich flink, entdeckte an der Ecke einen Zeitungskiosk und lief, so rasch er konnte, dahinter. Das Versteck war ausgezeichnet. Es lag zwischen dem Kiosk und einer *Litfaßsäule*. Der Junge stellte sein Gepäck hin, nahm die Mütze ab und guckte.

die Litfaßsäule

*das Gleis*, die Schienen

Der Mann hatte sich auf die Terrasse gesetzt, rauchte eine Zigarette und schien vergnügt. Emil fand es schrecklich, daß ein Dieb überhaupt vergnügt sein kann, und daß der Bestohlene betrübt sein muß, und wußte keinen Rat.

Warum mußte er sich hinter dem Zeitungskiosk verbergen, als wäre er selber der Dieb und nicht der andere? Was nützte es, daß er wußte, der Mann saß im Café Josty an der Kaiserallee? Wenn der Kerl jetzt aufstand, konnte die Rennerei weitergehen. Blieb er aber, dann konnte Emil hinter dem Kiosk stehen, bis er schwarz wurde. Es fehlte wirklich nur noch, daß ein *Schupomann* kam und sagte: Mein Sohn, folge mir, denn du gefällst mir nicht.

Plötzlich *hupte* es dicht hinter Emil! Er sprang erschrocken zur Seite, fuhr herum und sah einen Jungen stehen, der ihn auslachte.

»Na, Mensch, fall nur nicht gleich um«, sagte der Junge.

»Wer hat denn eben hinter mir gehupt?« fragte Emil.

»Na Mensch, ich natürlich. Du bist wohl nicht aus Wilmersdorf, wie? Sonst wüßtest du längst, daß ich 'ne *Hupe* in der Hosentasche habe. Hier kennt mich nämlich jeder.«

»Ich bin aus Neustadt. Und komme gerade vom Bahnhof.«

die Hupe

---

*der Schupomann,* der Polizist
*Wilmersdorf,* ein Stadtteil von Berlin

»So, aus Neustadt? Darum hast du so 'nen verrückten Anzug an.«

»Nimm das zurück, du, sonst bist du gleich k.o.«

»Na, Mensch«, sagte der andere gutmütig, »bist du böse? Das Wetter ist mir zum Boxen zu vornehm. Aber von mir aus, bitte!«

»Warten wir bis später«, erklärte Emil, »ich hab jetzt keine Zeit für so was.« Und er blickte nach dem Café hinüber, ob Grundeis noch da säße.

»Ich dachte sogar, du hättest viel Zeit! Stellt sich mit Koffer und *Blumenkohl* hinter den Zeitungskiosk und spielt mit sich selber Verstecken! Da muß man doch glatt zehn bis zwanzig Meter Zeit übrig haben.«

»Nein«, sagte Emil, »ich beobachte einen Dieb.«

»Was? Dieb?« meinte der andere Junge, »wen hat er denn *beklaut?*«

»Mich!« sagte Emil und war direkt stolz darauf. »In der Eisenbahn. Während ich schlief. Hundertvierzig Mark. Die sollte ich meiner Großmutter hier in Berlin geben. Dann ist er in ein anderes Abteil gegangen und am Bahnhof Zoo ausgestiegen. Ich natürlich hinterher. Dann auf die Straßenbahn. Und jetzt sitzt er drüben im Café, mit seinem steifen Hut.«

»Na Mensch, das ist ja großartig!« rief der Junge, »das ist ja wie im Kino! Und was willst du nun?«

»Keine Ahnung. Immer hinterher.«

»Sag's doch dem Schupo dort.«

»Ich mag nicht. Ich habe bei uns in Neustadt *was ausgefressen.* Und wenn ich nun ...

---

*der Blumenkohl,* hier: der Blumenstrauß
*jemanden beklauen,* jemandem etwas stehlen
*was ausfressen,* was Falsches tun

»Verstehe, Mensch!«

»Und am Bahnhof Friedrichstraße wartet meine Groß-mutter.«

Der Junge mit der Hupe dachte ein Weilchen nach. Dann sagte er: »Also, ich finde die Sache mit dem Dieb großartig! Und, Mensch, wenn du nichts dagegen hast, helfe ich dir.«

»Da wär ich dir kolossal dankbar.«

»Unsinn! Das ist doch klar, daß ich hier mitmache. Ich heiße Gustav.«

»Und ich Emil.«

Sie gaben sich die Hand und gefielen einander aus-gezeichnet.

»Nun aber los«, sagte Gustav, »wenn wir hier nur ste-henbleiben, *verduftet* uns der Schuft noch. Hast du noch etwas Geld?«

»Keinen Pfennig.«

Gustav hupte leise, um besser nachzudenken. Es half nichts.

»Wie, wenn du noch ein paar Freunde holtest«, fragte Emil.

»Mensch, die Idee ist prima!« rief Gustav begeistert, »das mach ich! Ich brauch bloß mal durch die Höfe zu sausen und zu hupen, gleich kommen sie an.«

»Tu das mal!« rief Emil, »aber komm bald wieder. Sonst läuft der Kerl da drüben weg. Und da muß ich hinterher. Und wenn du wiederkommst, bin ich weg.«

»Klar, Mensch! Ich mach' schnell! Übrigens ißt der Kerl im Café Josty drüben Bouillon mit Ei und solche Sachen. Der bleibt noch 'ne Weile. Also, Wiedersehen,

---

*verduften,* verschwinden

Emil! Mensch, das wird 'ne ganz große Sache!« Und fort war er.

Emil fühlte sich wunderbar erleichtert. Denn Pech bleibt zwar Pech. Aber ein paar Kameraden zu haben, die freiwillig mit von der Partie sind, *das ist kein kleiner Trost.*

Er behielt den Dieb scharf im Auge und hatte nur eine Angst: daß der *Schuft* fortlaufen könnte. Dann waren Gustav und die Hupe und alles umsonst.

Aber Herr Grundeis blieb. Wenn er geahnt hätte, wie es sich über ihm wie ein Sack zusammenzog, dann hätte er sich mindestens ein Flugzeug bestellt.

Zehn Minuten später hörte Emil die Hupe wieder. Er drehte sich um und sah Gustav und mindestens zwei Dutzend Jungen die Trautenaustraße heraufmarschiert kommen.

»Das Ganze halt! Na, was sagst du nun?« fragte Gustav und strahlte übers ganze Gesicht.

»Ich bin gerührt«, sagte Emil.

»Also, meine Herrschaften! Das hier ist Emil aus Neustadt. Das andere hab ich euch schon erzählt. Dort drüben sitzt der Schweinehund, der ihm das Geld geklaut hat. Der Kerl rechts vorne mit der schwarzen *Melone* auf dem Dach. Wenn uns der Bruder wegläuft, nennen wir uns von morgen ab nur noch Moritz! Verstanden?«

»Aber Gustav, den kriegen wir doch!« sagte ein Junge mit einer Hornbrille.

»Das ist der Professor«, erklärte Gustav. Und Emil gab ihm die Hand.

---

*das ist kein kleiner Trost,* das bedeutet viel
*der Schuft,* der gemeine Kerl
*die Melone,* hier: der steife Hut (Illustration Seite 27)

Dann wurde ihm die ganze Bande vorgestellt.

»So«, sagte der Professor, »nun wollen wir mal anfangen. Los! Erstens, Geld her!«

Jeder gab, was er hatte. Die Münzen fielen in Emils Mütze. Sogar ein Markstück war dabei. Es stammte von einem sehr kleinen Jungen, der Dienstag hieß. Er sprang vor Freude von einem Bein aufs andere und durfte das Geld zählen.

»Fünf Mark und siebzig Pfennige«, berichtete er den gespannten Zuhörern. »Am besten verteilen wir das Geld an drei Leute.«

»Sehr gut«, sagte der Professor. Er und Emil kriegten je zwei Mark, Gustav eine Mark und siebzig.

»Vielen Dank«, sagte Emil, »wenn wir ihn haben, gebe ich euch das Geld wieder. Was nun? Am liebsten wäre ich erst mal den Koffer und die Blumen los. Denn wenn die Rennerei wieder losgeht, ist mir *das Zeug* im Wege.«

»Mensch, gib her«, meinte Gustav. »Ich bring's gleich 'rüber ins Café Josty, geb's am Büfett ab und begucke mir mal den Herrn Dieb.«

»Aber paß nur auf«, sagte der Professor. »Der Halunke darf nicht merken, daß ihm Detektive auf der Spur sind.«

»Bin ich vielleicht dumm?« knurrte Gustav und ging weg.

»Ein feines Fotografiergesicht hat der Herr«, sagte er, als er zurückkam. »Und die Sachen können wir wieder holen, wenn's uns paßt.«

»Jetzt wäre es gut«, schlug Emil vor, »wenn wir einen Kriegsrat abhielten. Aber nicht hier. Das fällt auf.«

»Wir gehen nach dem Nikolsburger Platz«, riet der

---

*das Zeug*, hier: die Sachen

Professor. »Zwei bleiben hier am Zeitungskiosk und passen auf, daß der Kerl nicht verduftet. Fünf oder sechs stellen wir als *Stafetten* auf, die sofort Nachricht geben, wenn's was Neues gibt. Dann *kommen* wir *im Trab* zurück.«

»Laß mich das nur machen!« rief Gustav und begann, den Nachrichtendienst zu organisieren. »Ich bleibe hier«, sagte er zu Emil, »mach dir keine Sorgen! Wir lassen ihn nicht fort. Und beeilt euch ein bißchen. Es ist schon ein paar Minuten nach sieben.«

Er stellte die Stafetten auf. Und die andern zogen, mit Emil und dem Professor an der Spitze, zum Nikolsburger Platz.

# Fragen

1. Wo stellte sich Emil hin, um den Dieb zu beobachten?

2. Wo befand sich Herr Grundeis?

3. Womit erschreckte Gustav Emil?

4. Was erzählte Emil Gustav?

5. Wen holte Gustav, um Emil zu helfen?

6. Wer war der Anführer der Jungen?

7. Warum wurde das Geld eingesammelt?

8. Was wollte Gustav im Café Josty?

9. Wie organisierten sich die Jungen?

---

*die Stafette*, der Melder
*im Trab kommen*, in schnellem Lauf kommen

# 9 Die Detektive versammeln sich

Sie setzten sich auf die zwei weißen Bänke, die in den *Anlagen* stehen, und auf das niedrige eiserne Gitter um den Rasen und sahen ernst aus. Der Junge, der Professor genannt wurde, griff sich, wie sein Vater, der Justizrat, an die Brille. »Es besteht die Möglichkeit«, begann er, »daß wir uns nachher aus praktischen Gründen trennen müssen. Darum brauchen wir eine Telefonzentrale. Wer von euch hat Telefon?«

»Und wer hat nun die vernünftigsten Eltern?«

»Vermutlich ich!« rief der kleine Dienstag.

»Eure Telefonnummer?«

»Bavaria 0579.«

»Hier sind Bleistift und Papier. Krummbiegel, mach dir zwanzig Zettel und schreibe auf jeden von ihnen Dienstags Telefonnummer. Aber gut leserlich! Und dann gibst du jedem von uns einen Zettel. Die Telefonzentrale wird immer wissen, wo sich die Detektive aufhalten und was los ist. Und wer das erfahren will, der ruft einfach den kleinen Dienstag an und erhält von ihm genauen Bescheid.«

»Ich bin doch aber nicht zu Hause«, sagte der kleine Dienstag.

»Doch, du bist zu Hause«, antwortete der Professor. Sobald wir hier fertig sind, gehst du nach Hause und bedienst das Telefon.«

»Ach, ich möchte aber lieber dabei sein, wenn der Verbrecher gefangen wird. Kleine Jungens kann man bei so was gut gebrauchen.«

---

*die Anlage*, der Park

»Du gehst nach Hause und bleibst am Telefon. Es ist ein sehr wichtiger Posten.«

»Na schön, wenn ihr wollt.«

Krummbiegel verteilte die Telefonzettel. Und jeder Junge steckte seinen vorsichtig in die Tasche. Ein paar ganz Vorsichtige lernten gleich die Nummer auswendig.

»Wir werden auch eine Art *Bereitschaftsdienst* einrichten müssen«, meinte Emil.

»Natürlich. Wer bei der Jagd nicht unbedingt gebraucht wird, bleibt am Nikolsburger Platz. Ihr geht jeder einmal nach Hause und erzählt dort, ihr kommt heute vielleicht sehr spät heim. Ein paar können ja auch sagen, sie werden bei einem Freund schlafen. Damit wir genug Leute haben, falls die Jagd bis morgen dauert. Gustav, Krummbiegel, Arnold Mittenzwey, sein Bruder und ich rufen zu Hause an, daß wir wegbleiben ... Ja, und Traugott geht mit zu Dienstags, als Verbindungsmann, und rennt zum Nikolsburger Platz, wenn wir jemand brauchen. Nun haben wir also die Detektive, den Bereitschaftsdienst, die Telefonzentrale und den Verbindungsmann. Das genügt wohl.«

»Was zum Essen werden wir brauchen«, sagte Emil. »Vielleicht rennen ein paar von euch nach Hause und holen Butterbrote.«

»Wer wohnt am nächsten?« fragte der Professor. »Los! Mittenzwey, Gerold, Friedrich der Erste, Brunot, Zerlett, ab und bringt ein paar Brotpakete mit!«

Die fünf Jungen rannten davon.

»*Ihr Holzköppe,* ihr redet nur von Essen, Telefon und Nicht-zu-Hause-Schlafen. Aber wie ihr den Kerl

---

*der Bereitschaftsdienst,* eine Gruppe, die immer zur Verfügung steht
*Ihr Holzköppe,* Ihr Dummköpfe

kriegt, davon sprecht ihr nicht. Ihr ... ihr Überklugen!«
brummte Traugott.

»Habt ihr denn einen Apparat für Fingerabdrücke?«
fragte Petzold. Vielleicht hat er sogar Gummihandschuhe
angehabt. Und dann kann man ihn gar nicht kriegen.«
Petzold hatte schon zweiundzwanzig Kriminalfilme gesehen, wie man merkt.

»Unsinn!« sagte Traugott. »Sie werden ihm ganz einfach das Geld, das er geklaut hat, wieder klauen!«

»Ach was!« erklärte der Professor. »Wenn wir ihm das
Geld klauen, sind wir selber Diebe, genau wie er!«

»Du bist verrückt!« rief Traugott. »Wenn mir jemand
was stiehlt, und ich stehl es ihm wieder, bin ich doch
kein Dieb!«

»Der Professor hat sicher recht«, griff Emil ein. »Wenn
ich jemandem heimlich etwas wegnehme, bin ich ein Dieb.
Ob es sein ist, oder ob er es erst mir gestohlen hat, ist egal.«

»Genau so ist es«, sagte der Professor. »Wie wir nun
den Halunken fangen, wissen wir noch nicht. Nur, er muß
das Geld freiwillig wieder hergeben. Stehlen wäre idio-
tisch.«

»Das versteh ich nicht«, meinte der kleine Dienstag.
»Was mein ist, kann ich doch nicht stehlen können! Was
mein ist, ist eben mein. Auch in einer fremden Tasche!«

»Das sind Sachen, die schwer zu verstehen sind«, sagte
der Professor. »Moralisch hast du ja recht. Aber bestraft
wirst du trotzdem. Das verstehen sogar viele Erwachsene
nicht. Aber es ist so.«

»Na gut«, sagte Traugott.

»Und seid ja recht vorsichtig! Könnt ihr gut *schleichen?*« fragte Petzold. »Sonst sieht er euch. Und dann
ist alles vorbei.«

---

*schleichen*, vorsichtig, leise und möglichst unbemerkt gehen

»Ja, gut schleichen muß man«, sagte der kleine Dienstag. »Ich schleiche wundervoll. Wie ein Polizeihund. Bellen kann ich auch.«

»Schleiche mal in Berlin, daß dich niemand sieht!« Emil wurde böse. »Wenn du willst, daß alle dich sehen sollen, brauchst du nur zu schleichen.«

»Aber einen Revolver müßt ihr haben!« riet Petzold.

»Ja, einen Revolver braucht ihr«, riefen zwei, drei andere.

»Nein«, sagte der Professor.

»Der Dieb hat sicher einen.«

»Gefahr ist eben dabei«, erklärte Emil, »und wer Angst hat, geht am besten schlafen.«

»Willst du damit sagen, daß ich feige bin?« Traugott machte sich bereit zum Boxen.

»Ordnung!« rief der Professor, »streitet euch morgen! Ihr benehmt euch ja wahrhaftig wie ... wie die Kinder!«

»Wir sind doch auch welche«, sagte der kleine Dienstag. Und da mußten alle lachen.

»Eigentlich sollte ich meiner Großmutter ein paar Worte schreiben. Denn meine Verwandten wissen ja gar nicht, wo ich bin. Vielleicht rennen sie noch zur Polizei. Kann jemand einen Brief für mich in die Schumannstraße 15 bringen? Da wohnen sie nämlich.«

»Mach ich«, sagte ein Junge, der Bleuer hieß. Schreib nur schnell. Ich fahre mit der Untergrund. Wer gibt mir Geld?«

Der Professor gab ihm zwanzig Pfennige. Für Hin- und Rückfahrt. Emil schrieb:

Liebe Großmutter!
Ich bin in Berlin. Kann aber leider noch nicht kommen, weil ich vorher etwas Wichtiges tun muß. Fragt

nicht was. Und seid nicht bange. Wenn alles geordnet ist, komm ich und freu mich schon jetzt. Der Junge mit dem Brief weiß, wo ich bin, darf es aber nicht sagen. Denn es ist ein Geheimnis. Viele Grüße, auch an Onkel, Tante und Pony Hütchen.

Dein treuer Enkel Emil.

NB. Mutti läßt vielmals grüßen. Blumen hab ich auch mit. Die kriegst du, sobald ich kann.

Emil schrieb die Adresse auf die Rückseite, faltete das Papier zusammen und sagte: »Daß du aber meinen Leuten nicht erzählst, wo ich bin, und daß das Geld weg ist. Sonst geht mir's elend.«

»Schon gut, Emil!« meinte Bleuer. »Wenn ich zurück bin, melde ich mich beim Bereitschaftsdienst.« Dann rannte er fort.

Inzwischen waren die fünf Jungen wiedergekommen und brachten Brotpakete mit. Gerold lieferte sogar eine ganze Wurst ab. Von seiner Mutter, erzählte er. Na ja.

Die fünf hatten zu Hause angedeutet, daß sie noch ein paar Stunden wegblieben. Emil verteilte die Brote und bewahrte die Wurst auf.

Der Professor gab die Parole aus. Die Parole lautete: »Emil!« Das war leicht zu behalten.

Dann ging der kleine Dienstag mit Traugott, dem Verbindungsmann, ab und *wünschte* den Detektiven *Hals-und Beinbruch.* Der Professor rief ihm noch nach, er sollte doch für ihn zu Hause anrufen und sagen, er, der Professor habe noch was vor. »Dann ist mein Vater beruhigt«, fügte er noch hinzu.

---

*Hals- und Beinbruch wünschen,* Glück wünschen

»Donnerwetter noch mal«, sagte Emil, »gibt's in Berlin aber feine Eltern!«

»Bilde dir ja nicht ein, daß sie alle so gemütlich sind«, meinte Krummbiegel und kratzte sich hinter den Ohren.

»Doch, doch, manche sind ganz brauchbar«, sagte der Professor. »Ich habe meinem alten Herrn versprochen, nichts zu tun, was unanständig oder gefährlich ist. Solange ich das Versprechen halte, kann ich machen, was ich will. Ist ein feiner Kerl, mein Vater.«

»Vielleicht wird's aber heute gefährlich«, meinte Emil.

»Aber ich würde auch so handeln, wenn er dabei wäre, und dann ist's gut. So, nun aber los!« sagte er.

Der Professor rief dann: »Die Detektive erwarten, daß ihr funktioniert. Wir haben die Telefonzentrale, Proviant und Geld. Mein Geld, noch eine Mark und fünfzig Pfennige, bekommt Gerold. Die Telefonnummer weiß jeder. Wer nach Hause muß, *saust ab*. Aber mindestens fünf Leute müssen bleiben. Zeigt, daß ihr richtige Jungens seid! Wenn wir jemand brauchen, schickt der kleine Dienstag den Traugott zu euch. Alles klar? Parole Emil!«

»Parole Emil!« schrien alle, daß der Nikolsburger Platz wackelte.

Emil war direkt glücklich, bestohlen zu sein.


# Fragen

1. Wer sollte in der Telefonzentrale sitzen?
2. Wie viele sollten als Bereitschaftsdienst bleiben?
3. Was schrieb Emil an seine Großmutter?
4. Warum konnte der Professor ruhig draußen bleiben?

---

*absausen,* verschwinden

# 10 Eine Autodroschke wird verfolgt

Da kamen drei Stafettenläufer aus der Trautenaustraße gestürmt und *fuchtelten* mit den Armen.

»Los!« sagte der Professor. Und schon rannten er, Emil, die Brüder Mittenzwey und Krummbiegel nach der Kaiserallee. Die letzten zehn Meter legten sie vorsichtig im Schritt zurück, weil Gustav winkte.

»Zu spät?« fragte Emil und schnappte nach Luft.

»Bist du verrückt, Mensch?« flüsterte Gustav. »Wenn ich was mache, mach ich's richtig.«

Der Dieb stand vor dem Café Josty und betrachtete sich die Gegend. Dann kaufte er sich ein Abendblatt und begann zu lesen.

»Wenn er jetzt hier rüber kommt, wird's eklig«, meinte Krummbiegel.

Sie standen hinter dem Kiosk, drängten die Köpfe an der Wand vorbei und zitterten vor *Spannung*. Der Dieb blätterte in seiner Zeitung.

»Hat er oft zu euch hergeblickt?« fragte der Professor.

»Kein Mal, Mensch! Gefuttert hat er, als hätte er seit drei Tagen nichts gegessen.«

»Achtung!« rief Emil.

Der Mann im steifen Hut faltete die Zeitung wieder zusammen und winkte dann eine leere Autodroschke heran. Das Auto hielt, der Mann stieg ein, das Auto fuhr weiter.

Doch da saßen die Jungen schon in einem andern Auto,

---

*fuchteln,* schwenken
*die Spannung,* die Erwartung

und Gustav sagte zu dem Chauffeur: »Sehen Sie die Droschke, die jetzt zum Prager Platz einbiegt? Ja? Fahren Sie hinterher. Aber vorsichtig, daß er es nicht merkt.«

Der Wagen zog an und fuhr, *in passendem Abstand,* hinter der anderen Droschke her.

»Was ist denn los?« fragte der Chauffeur.

»Ach, Mensch, da hat einer was ausgefressen, und den verfolgen wir«, erklärte Gustav.

»Habt ihr denn auch Geld?« fragte der Chauffeur.

»Wofür halten Sie uns eigentlich?« rief der Professor.

»Na, na«, knurrte der Chauffeur.

»IA 3733 ist seine Nummer«, sagte Emil.

»Sehr wichtig.« Der Professor notierte es sich.

»Nicht zu nahe ran!« warnte Krummbiegel.

»Schon gut«, murmelte der Chauffeur.

So ging es die Motzstraße lang, über den Viktoria-Luise Platz und die Motzstraße weiter. Ein paar Leute blieben stehen, blickten dem Auto nach und lachten über die komische Herren*partie.*

»Ducken!« flüsterte Gustav. Die Jungen warfen sich zu Boden.

»Was gibt's denn?« fragte der Professor.

»An der Lutherstraße ist rotes Licht, Mensch! Wir müssen gleich halten, und der andre Wagen auch.«

Tatsächlich hielten beide Wagen und warteten hintereinander, bis wieder grünes Licht war. Aber niemand konnte merken, daß die zweite Autodroschke besetzt war. Sie schien leer. Die Jungen duckten sich geradezu vorbildlich. Der Chauffeur mußte lachen. Während der Weiterfahrt kamen sie vorsichtig wieder hoch.

---

*in passendem Abstand,* nicht zu nahe
*die Partie,* die Gesellschaft

»Wenn die Fahrt nur nicht zu lange dauert«, sagte der Professor. »Der Spaß kostet schon 80 Pfennige.«

Die Fahrt war sogar sehr schnell zu Ende. Am Nollendorfplatz hielt die erste Droschke, direkt vor dem Hotel Kreid. Der zweite Wagen hatte rechtzeitig gebremst und wartete, was nun werden würde.

Der Mann im steifen Hut stieg aus, zahlte und verschwand im Hotel.

»Gustav, hinterher!« rief der Professor, »wenn das Ding zwei Ausgänge hat, ist er weg.« Gustav verschwand.

Dann stiegen die anderen Jungen aus. Emil zahlte. Es kostete eine Mark. Der Professor führte seine Leute rasch durch das eine Tor, in einen großen Hof hinter dem Kino am Nollendorfplatz. Dann schickte er Krummbiegel zu Gustav.

Wenn der Kerl im Hotel bleibt, haben wir Glück«, meinte Emil. »Dieser Hof hier ist ja ein wundervolles *Standquartier.*«

»Mit allem Komfort«, sagte auch der Professor, »Untergrundbahn gegenüber, Anlagen zum Verstecken, Lokale zum Telefonieren. Besser geht's nicht.

»Hoffentlich macht es Gustav klug«, sagte Emil.

»Der ist klüger, als er aussieht«, antwortete Mittenzwey der Ältere.

»Wenn er nur bald käme«, meinte der Professor und setzte sich auf einen Stuhl, der auf dem Hofe stand.

Und dann kam Gustav wieder. »Den haben wir«, sagte er. »Er wohnt richtig im Hotel. Ich sah, wie ihn der Boy im *Lift* hochfuhr. Einen zweiten Ausgang gibt's auch nicht. Der sitzt in der Falle.«

---

*das Standquartier,* die Zentrale
*der Lift,* der Fahrstuhl

»Krummbiegel steht Wache?« fragte der Professor.

»Natürlich, Mensch!«

Dann kriegte Mittenzwey der Ältere einen Groschen und telefonierte mit dem kleinen Dienstag.

»Hallo, Dienstag?«

»Jawohl«, sagte der kleine Dienstag am andern Ende.

»Parole Emil! Hier Mittenzwey senior. Der Mann im steifen Hut wohnt im Hotel Kreid am Nollendorfplatz. Das Standquartier befindet sich im Hof hinter dem Kino, linkes Tor.«

Der kleine Dienstag notierte sich alles, wiederholte und fragte: »Braucht ihr Verstärkung, Mittenzwey?«

»Nein.«

»Welche Zimmernummer?«

»Das wissen wir noch nicht. Aber wir kriegen's schon 'raus. Haben andere schon angerufen?«

»Nein, niemand. Es ist direkt langweilig.«

»Na *Servus*, kleiner Dienstag.«

»Guten Erfolg, meine Herren. Parole Emil!«

»Parole Emil!« antwortete Mittenzwey und meldete sich wieder im Hof zur Stelle. Es war schon acht Uhr. Der Professor kontrollierte die Wache.

»Heute kriegen wir ihn sicher nicht mehr«, sagte Gustav ärgerlich.

»Es ist trotzdem das beste für uns, wenn er gleich schlafen geht«, sagte Emil, »denn wenn er jetzt noch stundenlang im Auto herumsaust und in Restaurants geht oder tanzen oder ins Theater oder alles zusammen – da können wir ja vorher ruhig ein paar Auslandskredite aufnehmen.«

Der Professor kam zurück und schickte die beiden Mit-

---

*Servus,* auf Wiedersehen

tenzwey auf den Nollendorfplatz. »Wir müssen überlegen, wie wir den Kerl besser beobachten können«, sagte er.

So saßen sie eine ganze Zeitlang und grübelten heftig.

Da ertönte im Hof eine Fahrradklingel, und in den Hof rollte ein kleines ganz neues Fahrrad. Drauf saß ein kleines Mädchen, und hinten auf dem Rad stand Kamerad Bleuer. Und beide riefen: »Hurra!«

Emil sprang auf, schüttelte dem kleinen Mädchen begeistert die Hand und sagte: »Das ist meine Kusine Pony Hütchen.«

Der Professor bot Hütchen seinen Stuhl an, und sie setzte sich.

»Also Emil, du Rabe«, sagte sie, »kommst nach Berlin und drehst gleich 'nen Film! Wir wollten gerade noch mal nach dem Bahnhof Friedrichstraße, da kam dein Freund Bleuer mit dem Brief. Netter Kerl übrigens.«

Bleuer wurde rot und sehr stolz.

»Na ja«, erzählte Pony Hütchen, »die Eltern und Großmutter sitzen nun zu Hause und wissen nicht, was mit dir eigentlich los ist. Wir haben ihnen natürlich nichts erzählt. Ich bin nur mit Bleuer schnell mal hierhergekommen, muß aber gleich wieder nach Haus, denn sie wissen es nicht. Sonst alarmieren sie noch die Polizei. Denn noch ein Kind weg an ein und demselben Tag, das hielten ihre Nerven nicht aus.«

»Waren sie böse?« fragte Emil.

»Gar nicht«, meinte Hütchen. »Großmutter ist durchs Zimmer gelaufen und hat gerufen: Mein Enkel Emil ist schnell mal beim Reichspräsidenten! Aber morgen *schnappt* ihr den Verbrecher hoffentlich? Wer ist denn euer Sherlock Holmes?«

---

*schnappen,* fangen

»Hier«, sagte Emil, »das ist der Professor.«

»Sehr angenehm, Herr Professor«, erklärte Pony Hütchen, »endlich lerne ich mal 'nen richtigen Detektiv kennen.«

Der Professor lachte verlegen und stotterte ein paar unverständliche Worte.

»So, und hier«, sagte Pony Hütchen, »ist mein Taschengeld, fünfundzwanzig Pfennige. Kauft euch ein paar Zigarren.«

Emil nahm das Geld. Sie saß wie eine Schönheitskönigin auf dem Stuhl.

»Und nun verdufte ich«, sagte Pony Hütchen, »morgen früh bin ich wieder da. Wo werdet ihr schlafen? Gott, zu gern würde ich hierbleiben und euch Kaffee kochen. Aber was soll man machen? Ein anständiges Mädchen gehört ins Bett. So, Wiedersehen, meine Herren! Gute Nacht, Emil!«

Sie gab Emil einen Schlag auf die Schulter, sprang auf ihr Rad, klingelte lustig und radelte davon.

Die Jungen standen eine ganze Zeit sprachlos.

Dann tat der Professor den Mund auf und sagte: »Donnerwetter noch mal!«

Und die andern gaben ihm ganz recht.


# Fragen

1. Wie verfolgten die Jungen den Dieb?

2. Wo versammelten sie sich?

3. Wer paßte auf, daß der Dieb nicht verschwand?

# 11 Ein Spion schleicht ins Hotel

Die Zeit verging langsam.

Emil besuchte die drei *Vorposten* und wollte einen ablösen. Aber sie wollten bleiben. Dann wagte sich Emil, ganz vorsichtig, bis ans Hotel Kreid, informierte sich und kehrte, ziemlich aufgeregt, in den Hof zurück.

»Wir können doch nicht die ganze Nacht das Hotel ohne Spion lassen!« sagte er. »Krummbiegel steht zwar an der Ecke Kleiststraße. Aber er braucht nur den Kopf wegzudrehen, und schon kann Grundeis *flöten gehn.*«

»Das kannst du leicht sagen, Mensch«, meinte Gustav. »Wir können doch nicht einfach zu dem Portier laufen und sagen: Also, Herr Portier, wir sind so frei und setzen uns auf die Treppe. Und du selber kannst schon gar nicht in das Haus. Wenn der Halunke aus seiner Tür guckt und dich erkennt, war alles bis jetzt umsonst.«

»So meine ich's auch nicht«, antwortete Emil. »Sondern?« fragte der Professor.

»In dem Hotel gibt's doch einen Boy für den Lift und solche Sachen. Wenn nun jemand von uns zu ihm geht und erzählt, was los ist, na, der kennt doch das Hotel wie seine Westentasche und weiß bestimmt einen guten Rat.«

»Gut«, sagte der Professor, »sehr gut sogar!«

»Dieser Emil! Schlau wie ein Berliner!« rief Gustav.

»Bilde dir bloß nicht ein, nur ihr seid schlau!« Emil wurde fast böse. Er fühlte sich in seinem Neustädter Pa-

---

*der Vorposten,* jemand, der aufpaßt
*flöten gehn,* verschwinden

triotismus verwundet. »Wir müssen überhaupt noch miteinander boxen.«

»Warum denn?« fragte der Professor.

»Ach, er hat meinen guten Anzug schwer beleidigt.«

»Der Boxkampf findet morgen statt«, sagte der Professor, »morgen oder überhaupt nicht.«

»Er ist ja gar nicht so verrückt, der Anzug. Ich hab mich schon dran gewöhnt, Mensch«, erklärte Gustav gutmütig. »Boxen können wir aber trotzdem. Du mußt aber wissen, daß ich der Champion der Landhausbande bin. Sieh dich also vor!«

»Und ich bin der Meister fast aller Gewichtsklassen in der Schule«, behauptete Emil.

»Schrecklich, ihr *Muskelmänner!*« sagte der Professor. »Eigentlich wollte ich selber hinüber ins Hotel. Aber euch beide kann man ja keine Minute allein lassen.«

»Da geh eben ich!« schlug Gustav vor.

»Richtig!« sagte der Professor. »Und sprich mit dem Boy. Sei aber vorsichtig! Vielleicht läßt sich was machen. Stelle fest, in welchem Zimmer der Kerl wohnt! In einer Stunde bist du wieder zurück.«

Gustav verschwand.

Der Professor und Emil traten vors Tor und erzählten sich von den Lehrern. Dann erklärte der Professor dem andern die verschiedenen in- und ausländischen Automarken, die vorbeifuhren. Und dann aßen sie gemeinsam ein Butterbrot.

Es war schon dunkel geworden. Überall flammten Lichtreklamen auf. Die Hochbahn donnerte vorüber. Die Untergrundbahn dröhnte. Straßenbahnen und Autobusse, Autos und Fahrräder vollführten ein wildes Konzert. Im Café

---

*der Muskelmann,* der starke Mann

Woerz wurde Tanzmusik gespielt. Die Kinos am Nollendorfplatz begannen mit der letzten Vorstellung. Und viele Menschen drängten hinein.

Emil fühlte sich wie im siebenten Himmel. Und er vergaß beinahe, daß ihm hundertvierzig Mark fehlten.

»Berlin ist natürlich großartig«, sagte er, »aber ich weiß nicht recht, ob ich immer hier leben möchte. In Neustadt haben wir den Obermarkt und den Niedermarkt und den Bahnhofsplatz. Und die Spielplätze am Fluß und im Amselpark. Das ist alles. Trotzdem, Professor, ich glaube, mir genügt's. Hier würde ich *mich* immer wieder *verlaufen*. Überleg dir mal, wenn ich euch nicht hätte und wäre ganz alleine hier! Da *krieg ich gleich 'ne Gänsehaut.*«

»Man gewöhnt sich dran«, sagte der Professor. »Ich würde es wahrscheinlich in Neustadt nicht aushalten, mit drei Plätzen und dem Amselpark.«

»Man gewöhnt sich dran«, sagte Emil, »aber schön ist Berlin, wunderschön.«

»Ist deine Mutter eigentlich sehr streng?« fragte der Berliner Junge.

»Meine Mutter?« fragte Emil, »aber keine Spur. Sie erlaubt mir alles. Aber ich tu's nicht. Verstehst du?«

»Nein«, erklärte der Professor offen, »das versteh ich nicht.«

»So? Also paß mal auf. Habt ihr viel Geld?«

»Das weiß ich nicht. Wir sprechen zu Hause wenig drüber.«

»Ich glaube, wenn man zu Hause wenig über Geld spricht, hat man viel von der Sorte.«

---

*sich verlaufen,* den falschen Weg gehen
*eine Gänsehaut kriegen,* Angst kriegen

Der Professor dachte einen Augenblick nach und sagte: »Das ist schon möglich.«

»Siehst du. Wir sprechen oft drüber, meine Mutter und ich. Wir haben eben wenig. Sie muß immer verdienen, und doch *reicht es an keiner Ecke*. Aber für Schulausflüge gibt meine Mutter mir genau soviel, wie die andern auch kriegen, und manchmal sogar noch mehr.«

»Wie kann sie das denn?«

»Das weiß ich nicht. Aber sie kann's. Und da bring ich ihr eben die Hälfte wieder mit.«

»Will sie das?«

»Unsinn! Aber ich will's.«

»Aha!« sagte der Professor, »so ist das bei euch.«

»Jawohl. So ist das. Und wenn sie mir erlaubt, bis neun Uhr abends 'rauszugehen, bin ich gegen sieben wieder zurück. Weil ich nicht will, daß sie allein Abendbrot ißt. Dabei verlangt sie, daß ich mit den andern bleiben soll. Aber das macht mir gar kein Vergnügen. Und sie freut sich ja doch, daß ich früh heimkomme.«

»Nee«, sagte der Professor. »Das ist bei uns allerdings anders. Wenn ich wirklich früh nach Hause komme, sind sie im Theater oder eingeladen. Wir haben uns ja auch ganz gern. Aber wir machen wenig Gebrauch davon.«

»Es ist eben das einzige, *was wir uns leisten* können! Deswegen bin ich aber kein Baby. Und wer das nicht glaubt, den schmeiße ich an die Wand. Es ist eigentlich ganz leicht zu verstehen.«

»Ich versteh es schon.«

Die zwei Jungen standen eine Zeitlang im Torbogen, ohne zu sprechen. Es wurde Nacht. Sterne glitzerten. Und

---

*es reicht an keiner Ecke,* es ist nie genug
*sich etwas leisten,* sich etwas erlauben

der Mond *schielte* mit einem Auge über die Hochbahn weg.

Der Professor fragte, ohne den andern anzusehen: »Da habt ihr euch wohl sehr lieb?«

»Kolossal«, antwortete Emil.

# Fragen

1. Warum wollte Emil, daß sie mit dem Hotelboy sprechen sollten?

2. Warum konnte der Professor nicht ins Hotel gehen?

3. Wer ging ins Hotel?

4. Worüber sprachen Emil und der Professor?

5. Was meinte Emil von Berlin?

6. Warum wollte er nicht in Berlin wohnen?

7. Was erzählte Emil von seiner Mutter?

8. Wie war es zu Hause beim Professor?

---

*schielen,* gucken

# 12 Ein grüner Liftboy taucht auf

Gegen zehn Uhr erschien eine Gruppe des Bereitschaftsdienstes im Hofe hinter dem Kino, brachte noch einmal Butterbrote und wollte weitere Befehle haben. Der Professor war sehr böse und erklärte, sie sollten am Nikolsburger Platz auf Traugott, den Verbindungsmann von der Telefonzentrale warten.

»Sei nicht so gemein« sagte Petzold. »Wir sind ganz einfach neugierig, wie es bei euch aussieht.«

»Und Traugott kam ja überhaupt nicht«, fügte Gerold entschuldigend hinzu.

»Wie viele sind noch am Nikolsburger Platz?« fragte Emil.

»Vier. Oder drei«, berichtete Friedrich der Erste.

»Es können auch nur zwei sein«, meinte Gerold.

»Frage sie ja nicht weiter!« rief der Professor wütend, »sonst sagen sie noch, niemand ist mehr dort!«

»Schrei doch nicht so«, sagte Petzold, »du hast mir nichts zu sagen.«

»Ich schlage vor, daß Petzold nach Hause geschickt wird und nicht mehr an der Jagd teilnehmen darf«, rief der Professor und stampfte mit dem Fuß auf.

»Es tut mir leid, daß ihr euch meinetwegen uneinig seid«, sagte Emil. »Wir wollen wie im Reichstag abstimmen. Ich schlage vor, Petzold darf bleiben; aber er muß tun, was ihm gesagt wird.«

»Seid nicht so wichtig, ihr Schweinehunde! Ich gehe sowieso, daß ihr es wißt!« Dann sagte Petzold noch was schrecklich Unanständiges und ging.

»Er wollte überhaupt hierher, sonst wären wir gar nicht gekommen«, erzählte Gerold. »Und Zerlett ist im Bereitschaftslager zurückgeblieben.«

»Kein Wort mehr über Petzold«, sagte der Professor und war schon wieder ganz ruhig. »Mit dem sind wir fertig.«

»Und was machen wir?« fragte Friedrich der Erste.

»Das beste wird sein, ihr wartet, bis Gustav aus dem Hotel kommt und Bericht gibt«, schlug Emil vor.

»Gut«, sagte der Professor. »Ist das dort nicht der Hotelboy?«

»Ja, das ist er«, meinte auch Emil.

Im Torbogen stand – in einer grünen *Livree* und mit einem genau so grünen *Käppi* auf dem Kopf – ein Junge. Er winkte den anderen und kam langsam näher.

»Eine feine Uniform hat er an. Donnerwetter!« meinte Gerold.

»Bringst du von unserm Spion Gustav Nachricht?« rief der Professor.

Der Boy war schon ganz nahe, nickte und sagte: »Jawohl.«

»Also bitte schön, was gibt's«, fragte Emil gespannt.

Da hupte es plötzlich! Und der grüne Boy sprang wie verrückt hin und her und lachte. »Emil, Mensch!« rief er, »bist du aber dumm!«

Es war nämlich gar nicht der Boy, sondern Gustav selber.

»Du *grüner Junge!*« schimpfte Emil zum Spaß. Da lach-

---

*die Livree,* die Uniform
*das Käppi,* die Uniformmütze
*grüner Junge,* dummer Junge

ten die andern auch. Bis jemand ein Fenster aufmachte und »Ruhe!« schrie.

»Großartig!« sagte der Professor. »Aber leiser, meine Herren. Komm her Gustav, setz dich und erzähle.«

»Mensch, ganz wie im Theater. Also, hört zu! Ich schleiche ins Hotel, sehe den Boy und *mache Winkewinke*. Er kommt zu mir, na, und ich erzähle ihm unsere ganze Geschichte. Von A bis Z. Und daß der Dieb in dem Hotel wohnt. Und daß wir mächtig aufpassen müßten, damit wir morgen das Geld wieder kriegen.

Sehr hübsch, sagte der Boy, ich hab noch eine Uniform. Die ziehst du an und bist der zweite Boy.

Aber was wird denn der Portier dazu sagen? geb ich zur Antwort.

Der erlaubt es, sagt er, denn der Portier ist mein Vater.

Was er seinem Alten gesagt hat, weiß ich nicht. Jedenfalls kriegte ich die Uniform hier, darf übernachten und sogar noch jemanden mitbringen. Na, was sagt ihr nun?«

»In welchem Zimmer wohnt der Dieb?« fragte der Professor.

»Dir kann man aber auch gar nicht imponieren«, knurrte Gustav gekränkt. »Ich habe natürlich keine Arbeit. Der Boy *vermutete,* der Dieb wohne auf Zimmer 61. Ich also rauf in die dritte Etage. Und Spion gespielt. Nach einer halben Stunde oder so geht auch richtig die Tür von 61 auf. Und wer kommt raus? Unser Herr Dieb! Er *mußte mal* – na ja, ihr wißt schon. Er war's! Kleiner schwarzer Schnurrbart, Ohren und eine *Visage,* die ich

---

*Winkewinke machen,* mit der Hand ein Zeichen geben
*vermuten,* denken, annehmen
*mal müssen,* auf die Toilette müssen
*die Visage,* das Gesicht

nicht geschenkt haben möchte. Wie er wieder zurück-
kommt, von – na ja, ihr wißt schon! –, da laufe ich ihm vor
die Beine und frage: Suchen der Herr was? Haben der
Herr Gast einen Wunsch?

Nein, sagt er, ich brauche nichts. Oder doch! Melde
dem Portier, er soll mich morgen früh Punkt acht Uhr
wecken lassen. Zimmer 61. Vergiß es aber nicht!

Nein, darauf können sich der Herr verlassen, sag ich.
Punkt acht klingelt auf Zimmer 61 das Telefon!«

»Ausgezeichnet!« Der Professor war nun ganz *befriedigt* und die andern erst recht. »Um acht Uhr wird er vor
dem Hotel erwartet. Dann geht die Jagd weiter. Und
dann wird er geschnappt.«

»Der ist so gut wie fertig«, rief Gerold.

»Und nun gehe ich ab«, sagte Gustav. »Ich muß für
Zimmer 12 einen Brief in den Kasten werfen. Fünfzig
Pfenning Trinkgeld. Also, gegen sieben Uhr steh ich
auf und sehe nach, daß unser Halunke pünktlich geweckt
wird. Und dann finde ich mich hier wieder ein.«

»Lieber Gustav, ich bin dir dankbar«, meinte Emil
»Nun kann nichts mehr passieren. Morgen wird er geschnappt. Und jetzt können alle ruhig schlafen gehen,
was Professor?«

»Jawohl. Alle gehen jetzt und schlafen sich aus. Und
morgen früh, Punkt acht Uhr, sind alle wieder hier. Wer
noch Geld mitbringen kann, tut's. Ich rufe jetzt den kleinen Dienstag an. Er soll die andern morgen wieder als
Bereitschaftsdienst versammeln. Vielleicht müssen wir eine
*Treibjagd* machen. Man kann nicht wissen.«

---

*befriedigt*, zufrieden
*die Treibjagd*, eine Jagd, wo man das Wild vor sich
hertreibt

»Ich gehe mit Gustav ins Hotel schlafen«, sagte Emil.

»Los, Mensch! Es wird dir großartig gefallen!«

»Ich telefoniere erst noch«, sagte der Professor. Dann gehe ich auch nach Hause und schicke Zerlett heim. Der sitzt sonst bis morgen früh am Nikolsburger Platz und wartet. Ist alles klar?«

»Jawohl, Herr Polizeipräsident«, lachte Gustav.

»Morgen früh um acht Uhr hier im Hof«, sagte Gerold.

»Bißchen Geld mitbringen«, erinnerte Friedrich der Erste.

Man verabschiedete sich. Die einen marschierten heim. Gustav und Emil zogen ins Hotel. Der Professor ging über den Nollendorfplatz, um vom Café den kleinen Dienstag anzurufen.

der Lehnstuhl

Und eine Stunde später schliefen alle. Die meisten in ihren Betten. Zwei im vierten Stock des Hotel Kreid.

Und einer neben dem Telefon, in Vaters *Lehnstuhl*.

Das war der kleine Dienstag. Er verließ seinen Posten nicht. Traugott war nach Hause gegangen. Der kleine Dienstag aber schlief im Lehnstuhl neben dem Telefon und träumte von vier Millionen Telefongesprächen.

Um Mitternacht kamen seine Eltern aus dem Theater heim. Sie wunderten sich nicht wenig, als sie ihren Sohn im Lehnstuhl erblickten.

Die Mutter nahm ihn hoch und trug ihn in sein Bett. Er murmelte dabei im Schlaf: »Parole Emil!«

# Fragen

1. Warum kamen Petzold und die anderen Jungen in den Hof hinter dem Kino?

2. Wer war der grüne Hotelboy?

3. Was erzählte Gustav den anderen?

4. Wann wollte der Dieb geweckt werden?

5. Warum konnten jetzt alle schlafen gehen?

6. Wo sollte Emil schlafen?

7. Wo schlief der kleine Dienstag?

## 13 Herr Grundeis kriegt eine Ehrengarde

Die Fenster des Zimmers 61 gingen auf den Nollendorf-platz. Und als Herr Grundeis am nächsten Morgen, während er sich die Haare kämmte, hinuntersah, fiel ihm auf, daß sich zahllose Kinder herumtrieben. Mindestens zwei Dutzend Jungen spielten gegenüber, vor den Anlagen, Fußball. Eine andere Abteilung stand an der Kleiststraße. Auch am Untergrundbahnhof standen Kinder.

»Wahrscheinlich Ferien«, knurrte er und band sich den Schlips um.

Inzwischen hielt der Professor im Kinohofe eine Versammlung ab und schimpfte: »Da überlegt man sich, wie man den Mann schnappen kann, und Ihr Idioten mobilisiert ganz Berlin! Brauchen wir vielleicht Zuschauer? Drehen wir einen Film? Wenn der Kerl uns *entwischt,* seid ihr dran schuld, ihr *Klatschtanten!*«

Die andern standen zwar geduldig im Kreise, schienen sich aber gar nicht besonders zu schämen, und Gerold meinte: »Immer ruhig, Professor. Wir kriegen den Dieb so oder so.«

»Macht, daß ihr rauskommt, ihr albernen Leute! Und gebt Befehl, daß die Bande wenigstens nicht nach dem Hotel hinsieht. *Kapiert?* Vorwärts marsch!«

Die Jungen zogen ab. Und nur die Detektive blieben im Hofe zurück.

---

*entwischen,* verschwinden
*die Klatschtante,* jemand, der alles erzählt
*kapieren,* verstehen

»Schick doch einfach die Kinder draußen nach Hause«, schlug Krummbiegel vor.

»Glaubst du denn wirklich, daß sie gehen? Und wenn der Nollendorfplatz explodiert, die bleiben«, sagte der Professor.

»Da hilft nur eins«, meinte Emil. »Wir müssen unsern Plan ändern. Wir können den Grundeis nicht mehr mit Spionen *umringen,* sondern wir müssen ihn richtig jagen. Von allen Seiten und mit allen Kindern.«

»Das hab ich mir auch schon gedacht«, erklärte der Professor. »Wir jagen ihn, bis er sich ergibt.«

»Wunderbar«, schrie Gerold.

»Er wird lieber das Geld wieder hergeben, als stundenlang etwa hundert schreiende Kinder hinter sich her zu haben, bis die ganze Stadt ankommt, und die Polizei ihn schnappt«, meinte Emil.

Die andern nickten klug. Da klingelte es. Und Pony Hütchen radelte in den Hof. »Morgen, ihr Banditen«, rief sie, begrüßte Vetter Emil, den Professor und die übrigen und holte dann einen kleinen Korb, den sie mithatte. »Ich bringe euch nämlich Kaffee und ein paar *Buttersemmeln!* Sogar eine saubere Tasse habe ich. Ach, *der Henkel* ist ab! Schade.«

Die Jungen hatten zwar alle gefrühstückt. Auch Emil schon, im Hotel Kreid. Aber trotzdem tranken sie aus der

die Tasse        der Henkel

---

*umringen,* umgeben, einkreisen
*die Buttersemmel,* das Brötchen mit Butter

Tasse ohne Henkel Milchkaffee und aßen Semmeln, als hätten sie vier Wochen nichts gekriegt.

»Das schmeckt ja großartig!« rief Krummbiegel.

»Und die Semmeln sind wunderbar«, brummte der Professor.

»Nicht wahr?« fragte Pony. »Ja, ja, es ist eben doch was andres, wenn eine Frau im Hause ist!«

»Im Hofe«, berichtigte Gerold.

»Wie steht's in der Schumannstraße?« fragte Emil.

»Es geht. Und einen besonderen Gruß von der Großmutter. Du sollst bald kommen, sonst kriegst du zur Strafe jeden Tag Fisch.«

»Pfui Teufel«, murmelte Emil und verzog das Gesicht.

»Warum pfui Teufel?« fragte Mittenzwey der Jüngere. »Fisch ist doch was Feines.« Alle sahen ihn erstaunt an, denn er sagte sonst nie was. Er wurde auch sofort rot und versteckte sich hinter seinem großen Bruder.

»Emil mag nämlich keinen Fisch«, erzählte Pony Hütchen.

So *plauderten* sie und waren guter Laune. Pony Hütchen hüpfte im Hof umher, sang ein Lied und erzählte alles mögliche.

»Halt«, rief sie plötzlich, »ich wollte doch noch was fragen. Was wollen denn die vielen Kinder auf dem Nollendorfplatz? Das sieht ja aus wie ein Schulausflug!«

»Das sind Neugierige. Und nun wollen sie dabei sein«, erklärte der Professor.

Da kam Gustav durchs Tor gerannt, hupte laut und brüllte: »Los! Er kommt!« Alle wollte davonstürzen.

»Achtung! Zuhören!« schrie der Professor. »Wir wer-

---

*plaudern,* freundlich miteinander reden

den ihn also einkreisen. Hinter ihm Kinder, vor ihm Kinder, links Kinder, rechts Kinder! Ist das klar? Marsch und 'raus!«

Sie liefen, rannten und drängten durchs Tor. Pony Hütchen schwang sich dann auf ihr kleines ganz neues Rad, murmelte wie ihre eigene Großmutter: »Die Sache gefällt mir nicht. Die Sache gefällt mir nicht!« und fuhr hinter den Jungen her.

Der Mann im steifen Hut trat gerade aus der Hoteltür, stieg langsam die Treppe herunter und wandte sich nach rechts, der Kleiststraße zu. Der Professor, Emil und Gustav jagten ihre Eilboten zwischen den Kindertrupps hin und her. Und drei Minuten später war Herr Grundeis umringt.

Er sah sich verwundert nach allen Seiten um. Die Jungen unterhielten sich, lachten und *hielten gleichen Schritt* mit ihm. Manche starrten den Mann an, bis er verlegen wurde und wieder geradeaus guckte.

Sssst! Pfiff ein Ball dicht an seinem Kopf vorbei. Er duckte sich und ging schneller. Doch nun liefen die Jungen ebenfalls rascher. Er wollte flink in eine Seitenstraße abbiegen. Doch da kam auch schon ein Kindertrupp.

»Mensch, der hat ein Gesicht, als wolle er dauernd niesen«, rief Gustav.

»Lauf ein bißchen vor mir«, rief Emil, »mich braucht er jetzt noch nicht zu erkennen. Das erlebt er noch früh genug.« Gustav machte sich breit wie ein Boxkämpfer und ging vor Emil her. Pony Hütchen fuhr neben dem Umzuge und klingelte vergnügt.

Der Mann im steifen Hut wurde deutlich nervös. Er

*gleichen Schritt halten,* im gleichen Tempo gehen

ahnte dunkel, was kommen würde, und machte Riesenschritte. Aber es war umsonst.

Plötzlich blieb er stehen, drehte sich um und lief die Straße, die er gekommen war, wieder zurück. Da machten auch sämtliche Kinder kehrt und gingen wieder neben ihm her.

Da lief ein Junge – es war Krummbiegel – dem Mann vor die Beine, daß er *stolperte.*

»Was fällt dir ein, du Bengel?« schrie er. »Ich werde gleich einen Polizisten rufen!«

»Ach ja, bitte, tun Sie das mal!« rief Krummbiegel. »Darauf warten wir schon lange. Na, rufen Sie ihn doch!«

Herr Grundeis dachte aber nicht daran. *Ihm wurde die Geschichte* immer *unheimlicher.* Er bekam wirklich Angst und wußte nicht mehr, wohin. Schon sahen Leute aus allen Fenstern und fragten, was los wäre. Wenn jetzt ein Polizist kam, war's aus.

Da erblickte der Dieb eine Filiale der Commerz- und Privatbank. Er durchbrach die Kette der Kinder, eilte auf die Tür zu und verschwand.

Der Professor sprang vor die Tür und brüllte: »Gustav und ich gehen hinterher! Wenn Gustav hupt, kann's losgehen! Dann kommt Emil mit zehn Jungen hinein. Nimm aber die Richtigen, Emil. Es wird eine schwere Sache!«

Dann verschwanden auch Gustav und der Professor hinter der Tür.

Emil summten die Ohren. Er rief Krummbiegel, Gerold, die Brüder Mittenzwey und noch ein paar andere zu sich und ordnete an, daß die anderen *sich zerstreuten.*

---

*stolpern,* ausgleiten
*ihm wurde die Geschichte unheimlich,* er wurde nervös
*sich zerstreuen,* auseinander gehen

Die Kinder gingen auch ein paar Schritte von der Bank fort, aber nicht weit. Was nun geschah, wollten sie alle sehen.

Pony Hütchen gab einem Jungen ihr Rad, trat zu Emil und sagte: »Da bin ich. Kopf hoch. O Gott, ich bin *gespannt. Wie ein Regenschirm.*«

»Denkst du vielleicht, ich nicht?« fragte Emil.

## Fragen

1. Was erblickte der Dieb, als er morgens aus dem Fenster sah?

2. Was sollten all die Kinder?

3. Was brachte Pony Hütchen mit?

4. Was taten die Kinder, als der Dieb kam?

5. Was tat Krummbiegel?

6. Wie wollte der Dieb sich retten?

---

*gespannt wie ein Regenschirm sein,* sehr gespannt sein

# 14 Stecknadeln haben auch ihr Gutes

Als Gustav und der Professor die Bank betraten, stand der Herr im steifen Hut bereits am Schalter mit der Aufschrift: »Ein- und Auszahlungen« und wartete ungeduldig. Der Bankkassierer telefonierte.

Der Professor stellte sich neben den Dieb und paßte mächtig auf. Gustav blieb hinter dem Mann stehen und hielt die Hand zum Hupen fertig in der Hosentasche.

Dann kam der Kassierer an den Schalter und fragte den Professor, was er wollte.

»Bitte sehr«, sagte der, »der Herr war vor mir da.«

»Sie wünschen?« fragte der Kassierer nun Herrn Grundeis.

»Wollen Sie mir, bitte schön, einen Hundertmarkschein in zwei Fünfziger umtauschen und für vierzig Mark Silber geben?« fragte dieser und legte einen Hundertmarkschein und zwei Zwanzigmarkscheine auf den Tisch.

Der Kassierer nahm die drei Scheine und ging damit zum Geldschrank.

»Einen Moment!« rief da der Professor laut, »das Geld ist gestohlen!«

»Waaas?« fragte der Bankkassierer erschrocken; seine Kollegen in den anderen Abteilungen fuhren hoch.

»Das Geld hat er einem Freund von mir gestohlen und will es nur umtauschen, damit man ihm nichts beweisen kann«, erklärte der Professor.

»So eine Frechheit ist mir in meinem ganzen Leben noch nicht vorgekommen«, sagte Herr Grundeis und fuhr zum Kassierer gewandt fort: »Entschuldigen Sie!« und gab dem Professor eine schallende Ohrfeige.

»Dadurch wird die Sache auch nicht anders«, meinte der Professor und *landete* bei Grundeis *einen Magenstoß*, daß der Mann sich am Tisch festhalten mußte. Und jetzt hupte Gustav dreimal schrecklich laut. Die Bankleute sprangen auf und liefen neugierig nach dem Kassenschalter. Der Herr Kassenvorsteher stürzte zornig aus seinem Zimmer.

Und – zehn Jungen kamen hereingerannt, Emil zuerst, und umringten den Mann mit dem steifen Hut.

»Was zum Donnerwetter ist denn hier los?« schrie der Vorsteher.

»Die *Bengel* behaupten, ich hätte einem von ihnen das Geld gestohlen, das ich eben zum Wechseln einzahlte«, erzählte Herr Grundeis und zitterte vor Ärger.

»So ist es auch!« rief Emil und sprang an den Schalter. »Einen Hundertmarkschein und zwei Zwanzigmarkscheine. Gestern nachmittag. Im Zug. Während ich schlief.«

»Ja, kannst du das denn auch beweisen?« fragte der Kassierer streng.

»Ich bin seit einer Woche in Berlin und war gestern von früh bis abends in der Stadt«, sagte der Dieb und lächelte höflich.

»So ein verdammter Lügner!« schrie Emil und weinte fast vor Wut.

»Kannst du denn beweisen, daß dieser Herr hier der Mann ist, mit dem du im Zuge saßt?« fragte der Vorsteher, »denn wenn du allein mit ihm im Zug warst, hast du doch keinen einzigen *Zeugen*.« Emils Kameraden machten dumme Gesichter.

---

*einen Magenstoß landen*, jemanden in den Magen schlagen
*der Bengel*, der ungezogene Junge
*der Zeuge*, jemand, der dabei war

»Doch!« rief Emil, »doch! Ich hab doch einen Zeugen! Frau Jakob aus Groß-Grünau. Sie stieg später aus. Und ich sollte Herrn Kurzhals in Neustadt von ihr grüßen!«

»Es scheint, Sie werden ein Alibi erbringen müssen«, sagte der Kassenvorsteher zu dem Dieb. »Können Sie das?«

»Selbstverständlich«, erklärte der. Ich wohne drüben im Hotel Kreid ...«

»Aber erst seit gestern abend«, rief Gustav, »ich hab mich dort als Liftboy eingeschlichen und weiß Bescheid, Mensch!«

»Wir werden das Geld am besten vorläufig hierbehalten, Herr ...« sagte der Vorsteher und wollte Namen und Adresse notieren.

»Grundeis heißt er!« rief Emil.

Der Mann im steifen Hut lachte laut und sagte: »Da sehen Sie, daß es sich um eine Verwechslung handelt. Ich heiße Müller.«

»Oh, wie gemein er lügt! Mir hat er im Zug erzählt, daß er Grundeis heißt«, schrie Emil.

»Haben Sie *Ausweispapiere?*« fragte der Kassierer.

»Leider nicht bei mir«, sagte der Dieb, aber ich kann sie gleich aus dem Hotel herüberholen.«

»Der Kerl lügt! Und es ist mein Geld. Und ich muß es wiederhaben«, rief Emil.

»Ja«, sagte der Kassierer, »so leicht geht das nicht! Wie kannst du denn beweisen, daß es dein Geld ist? Hast du dir die Nummern gemerkt?«

der Ausweis

»Natürlich nicht«, sagte Emil. »Aber es ist doch mein Geld. Und meine Mutter hat es mir für die Großmutter mitgegeben. Die wohnt hier in der Schumannstraße 15.«

»War an einem der Scheine eine Ecke abgerissen, oder war sonst etwas nicht in Ordnung?«

»Nein, ich weiß nicht.«

»Also, meine Herren, auf Ehrenwort: das Geld gehört wirklich mir. Ich werde doch keine kleinen Kinder berauben!« behauptete der Dieb.

»Halt!« schrie Emil plötzlich und sprang in die Luft, »halt! Ich habe mir im Zug das Geld mit einer Stecknadel in der Jacke festgesteckt. Und da müssen Nadelstiche in den drei Scheinen sein!«

Der Kassierer hielt das Geld gegen das Licht. Die anderen hielten die Luft an.

Der Dieb trat einen Schritt zurück. Der Bankvorsteher trommelte nervös auf dem Tisch herum.

»Der Junge hat recht«, schrie der Kassierer, »in den Scheinen sind wirklich Nadelstiche!«

»Und hier ist auch die Nadel dazu«, sagte Emil und legte die Nadel auf den Tisch.

Da drehte sich der Dieb blitzschnell um, stieß die Jungen links und rechts zur Seite, daß sie hinfielen, rannte durch den Raum, riß die Tür auf und war weg.

»Ihm nach!« schrie der Bankvorsteher.

Alles lief nach der Tür.

Als man auf die Straße kam, war der Dieb schon von mindestens zwanzig Jungen *umklammert*. Sie hielten ihn an den Beinen. Sie hingen an seinen Armen, an seinem Jackett. Er kämpfte wie wild. Aber die Jungen ließen ihn nicht los.

---

*umklammern,* festhalten

Und dann kam auch schon ein Polizist, den Pony Hütchen mit ihrem kleinen Rad geholt hatte. Und der Bankvorsteher forderte ihn auf, den Mann, der sowohl Grundeis wie auch Müller hieß, zu verhaften. Denn er sei wahrscheinlich ein Eisenbahndieb.

Der Kassierer holte das Geld und die Stecknadel und ging mit. Na, es war ein feiner *Aufzug!* Der Polizist, der Kassierer, der Dieb in der Mitte, und hinterher neunzig bis hundert Kinder! So zogen sie zur *Wache.*

Pony Hütchen rief: »Emil, mein Junge! Ich fahre rasch nach Hause und erzähle dort die ganze Geschichte.«

Der Junge nickte und sagte: »Zum Mittagessen bin ich zu Hause! Grüß schön!«

Pony Hütchen rief noch: »Wißt ihr, wie ihr aussehet? Wie ein großer Schulausflug!« Dann bog sie heftig klingelnd um die Ecke.

# Fragen

1. Warum wollte der Dieb das Geld wechseln?

2. Wie konnte Emil beweisen, daß es sein Geld war?

3. Was tat der Dieb, als der Kassierer die Nadelstiche in den Scheinen sah?

4. Wie verhinderten die Kinder, daß der Dieb verschwand?

---

*der Aufzug,* die Prozession
*die Wache,* die Polizeistation

# 15 Emil besucht das Polizeipräsidium

Der Zug marschierte zur nächsten Polizeiwache. Der Polizist meldete einem *Wachtmeister*, was geschehen war. Emil mußte dann sagen, wann und wo er geboren wurde, wie er heiße und wo er wohne. Und der Wachtmeister schrieb alles auf.

»Und wie heißen Sie?« fragte er den Dieb.

»Herbert Kießling«, sagte der Kerl.

Da mußten die Jungen – Emil, Gustav und der Professor – laut lachen. Und der Kassierer auch.

»Mensch!« rief Gustav. »Erst hieß er Grundeis. Dann Müller. Jetzt heißt er Kießling! Nun bin ich bloß gespannt, wie er in Wirklichkeit heißt!«

»Ruhe!« knurrte der Wachtmeister. »Das kriegen wir auch noch 'raus.«

Herr Grundeis-Müller-Kießling nannte dann seine augenblickliche Adresse, das Hotel Kreid. Dann den Geburtstag und seine Heimat, Ausweispapiere habe er keine.

»Und wo waren Sie bis gestern?« fragte der Wachtmeister.

»In Groß-Grünau«, erklärte der Dieb.

»Das ist bestimmt schon wieder gelogen«, rief der Professor.

»Ruhe!« knurrte der Wachtmeister. »Das kriegen wir auch noch 'raus.«

Der Kassierer durfte nun gehen. Er klopfte Emil freundlich auf die Schulter und verschwand.

»Haben Sie gestern dem Realschüler Emil Tischbein

---

*der Wachtmeister*, der Polizeiunteroffizier

aus Neustadt im Berliner Zuge hundertvierzig Mark gestohlen, Kießling?« fragte der Wachtmeister.

»Jawohl«, sagte der Dieb düster. »Der Junge lag in der Ecke und schlief. Und da fiel ihm das Kuvert heraus. Und da hob ich es auf und wollte bloß mal nachsehen, was drin war. Und weil ich gerade kein Geld hatte ...«

»So ein Schwindler!« rief Emil. Ich hatte das Geld in der Jackentasche festgesteckt. Es konnte gar nicht herausfallen!«

»Und so nötig hat er's bestimmt nicht gebraucht. Sonst hätte er Emils Geld nicht noch *vollzählig* in der Tasche gehabt. Er hat inzwischen Auto und Bouillon und Bier bezahlen müssen,« bemerkte der Professor.

»Ruhe!« knurrte der Wachtmeister. »Das kriegen wir auch noch 'raus.«

Und er notierte alles, was erzählt wurde.

»Könnten Sie mich vielleicht auf freien Fuß setzen, Herr Wachtmeister?« fragte der Dieb sehr höflich. »Ich habe den Diebstahl ja zugegeben. Und wo ich wohne, wissen Sie auch. Ich habe in Berlin zu tun.«

»Hier möcht' ich beinahe lachen!« sagte der Wachtmeister und rief das Polizeipräsidium an: es solle einen Wagen schicken; ein Eisenbahndieb sei gefaßt worden.

»Wann kriege ich denn mein Geld?« fragte Emil.

»Im Polizeipräsidium«, sagte der Wachtmeister. »Ihr fahrt jetzt gleich hinüber.«

»Emil, Mensch, nun mußt du in der *grünen Minna* zum *Alex!*« flüsterte Gustav.

»Unsinn«, sagte der Wachtmeister. »Du fährst mit der

---

*vollzählig*, alles
*die grüne Minna*, der Polizeiwagen
*der Alex*, der Alexanderplatz

Untergrundbahn zum Alexanderplatz und meldest dich bei Kriminalwachtmeister Lurje. Dein Geld kriegst du dort auch wieder.«

Wenige Minuten später kam das Kriminalauto. Und Herr Grundeis-Müller-Kießling mußte einsteigen. Der Wachtmeister gab einem Polizisten, der im Wagen saß, den schriftlichen Bericht und die hundertvierzig Mark. Die Stecknadel auch. Und dann fuhr die Grüne Minna fort. Die Kinder auf der Straße schrien hinter dem Dieb her. Aber der rührte sich nicht.

Emil gab dem Wachtmeister die Hand und bedankte sich. Dann teilte der Professor den Kindern, die gewartet hatten, mit, das Geld kriege Emil am Alex, und die Jagd wäre vorüber. Da zogen die Kinder wieder heim. Nur der Professor und Gustav brachten Emil zum Bahnhof Nollendorfplatz. Er dankte ihnen schon jetzt von ganzem Herzen für ihre Hilfe. Und das Geld bekämen sie auch wieder.

»Wenn du es wagst, uns das Geld wiederzugeben«, rief Gustav, »müssen wir doch boxen!«

»Ach, Mensch!« sagte Emil und faßte Gustav und den Professor an den Händen, »ich bin so guter Laune!«

Und dann fuhren die drei zum Alexanderplatz ins Polizeipräsidium und fanden schließlich den Kriminalwachtmeister Lurje.

»Aha!« sagte Herr Lurje. »Emil Stuhlbein. Amateurdetektiv. Schon gemeldet. Der Kriminalkommissar wartet. Komm mal mit!«

»Tischbein heiß ich«, korrigierte Emil.

»Auch gut«, sagte Herr Lurje.

»Wir warten auf dich«, meinte der Professor. Und Gustav rief Emil nach: »Mach schnell, Mensch!«

Herr Lurje spazierte durch mehrere Gänge. Dann

klopfte er an eine Tür. Eine Stimme rief: »Herein!« Lurje öffnete die Tür ein wenig und sagte: »Der kleine Detektiv ist da, Herr Kommissar. Emil Fischbein, Sie wissen schon.«

»Tischbein heiß' ich«, erklärte Emil nachdrücklich.

»Auch 'n ganz hübscher Name«, sagte Herr Lurje und gab Emil einen Stoß, daß er in das Zimmer flog.

Der Kriminalkommissar war ein netter Herr. Emil mußte sich setzen und die Diebsgeschichte von Anfang an erzählen. Zum Schluß sagte der Kommissar: »So, und nun bekommst du auch dein Geld wieder.«

»Gott sei Dank!« Emil steckte das Geld in die Tasche. Und zwar besonders vorsichtig.

»Laß dir's aber nicht wieder stehlen!«

»Nein! Ausgeschlossen! Ich bring's gleich zur Großmutter!«

»Wunderbar habt ihr das gemacht, ihr Jungen«, meinte der Kommissar und steckte sich eine Zigarre an.

»Was wird nun aus dem Grundeis oder wie mein Dieb sonst heißt?« fragte Emil.

»Der wird fotografiert. Und seine Fingerabdrücke werden genommen. Nachher sehen wir nach, ob er schon gesucht wird. Denn es wäre ja möglich, daß der Mann auch noch andere Diebstähle und Einbrüche ausführte, nicht wahr?«

»Das stimmt. Daran habe ich noch gar nicht gedacht«, sagte Emil.

»Moment«, sagte der nette Kommissar. Denn das Telefon klingelte. »Jawohl .... interessante Sache für Sie .... kommen Sie doch mal in mein Zimmer ...« sprach er in den Apparat. Dann hängte er ab und sagte: »Jetzt werden gleich ein paar Herren von der Zeitung kommen und dich interviewen.«

»Was ist denn das?« fragte Emil.

»Interviewen heißt ausfragen.«

»Nicht möglich!« rief Emil. »Da komme ich sogar in die Zeitung?«

»Wahrscheinlich«, sagte der Kommissar. »Wenn ein Realschüler einen Dieb fängt, wird er eben berühmt.« Dann klopfte es. Und vier Herren traten ins Zimmer. Der

Kommissar gab ihnen die Hand und erzählte kurz Emils Erlebnisse. Die vier Herren schrieben fleißig nach.

»Wunderbar!« sagte zum Schluß einer der Reporter. »Der Knabe vom Lande als Detektiv.«

»Warum bist du nicht sofort zu einem der Polizisten gegangen und hast ihm alles gesagt?« fragte einer.

Emil bekam es mit der Angst. Er dachte an Wachtmeister Jeschke in Neustadt.

»Na?« sagte der Kommissar.

Da sagte Emil schließlich: »Weil ich dem Denkmal vom Großherzog in Neustadt eine rote Nase und einen Schnurrbart angemalt habe. Bitte, verhaften Sie mich, Herr Kommissar!«

Da lachten die Herren. Und der Kommissar rief: »Aber Emil, wir werden doch nicht unsern besten Detektiv ins Gefängnis stecken!«

»Nein? Wirklich nicht? Na, da bin ich aber froh«, sagte der Junge erleichtert. Dann ging er auf einen der Reporter zu und fragte: »Kennen Sie mich denn nicht mehr? Sie haben mir doch gestern auf der Linie 177 das Straßenbahnbillett bezahlt, weil ich kein Geld hatte. Wollen Sie es jetzt wieder haben?«

»Aber nein«, sagte der Herr und stellte sich vor: »Ich heiße Kästner«. Dann sagte er: »Hör mal, Emil, kommst du ein bißchen zu mir auf die Redaktion? Vorher essen wir irgendwo Kuchen mit Schlagsahne.«

»Sehr gern«, sagte Emil. »Aber der Professor und Gustav warten draußen auf mich.«

»Die nehmen wir selbstverständlich mit«, erklärte Herr Kästner.

Dann verabschiedete man sich. Und Emil ging mit Herrn Kästner zu Kriminalwachtmeister Lurje zurück. Der sagte: »Aha, der kleine Überbein!«

»Tischbein«, sagte Emil.

Dann fuhren Herr Kästner, Emil, der Professor und Gustav in einem Auto erst mal in eine Konditorei. Dort aßen sie Kirschtorte mit viel Schlagsahne und erzählten, was ihnen gerade einfiel: von dem Kriegsrat am Nikolsburger Platz, von der Autojagd, von der Nacht im Hotel, von Gustav als Liftboy, von dem Skandal in der Bank. Und Herr Kästner sagte zum Schluß: »Ihr seid wirklich drei *Prachtkerle.*«

Und da wurden sie sehr stolz auf sich selbst.

Nachher stiegen Gustav und der Professor auf einen Autobus, und Emil und Herr Kästner fuhren in die Redaktion.

Das Zeitungsgebäude war riesengroß. Fast so groß wie das Polizeipräsidium am Alex. Sie kamen in ein Zimmer, in dem ein hübsches blondes Fräulein saß. Und Herr Kästner lief im Zimmer auf und ab und diktierte dem Fräulein das, was Emil erzählt hatte. Manchmal blieb er stehen und fragte Emil: »Stimmt's?« Und wenn Emil genickt hatte, diktierte Herr Kästner weiter.

Dann rief er noch einmal den Kriminalkommissar an. »Was sagen Sie?« rief Herr Kästner. »Na, das ist ja großartig ... Das wird eine große Sensation ...«

Er hängte ab und sagte: »Emil, wir müssen dich fotografieren lassen!«

»Nanu«, meinte Emil erstaunt. Er fuhr mit Herrn Kästner drei Etagen höher, kämmte sich noch erst die Haare, und dann wurde er fotografiert.

Nachher fuhren sie mit dem Fahrstuhl hinunter und traten vor den *Verlag.* Herr Kästner steckte Emil in eine

---

*der Prachtkerl,* der prächtige Junge
*der Verlag,* das Zeitungsgebäude

Droschke, gab dem Fahrer Geld und sagte: »Fahren Sie meinen kleinen Freund in die Schumannstraße 15.«

Sie schüttelten sich die Hände, und dann sagte Herr Kästner noch: »Lies heute nachmittag die Zeitung! Du wirst dich wundern, mein Junge.«

Emil drehte sich um und winkte. Und Herr Kästner winkte auch.

Dann sauste das Auto um eine Ecke.

## Fragen

1. Wohin wurde der Dieb zuerst gebracht?

2. Was erzählte er dem Wachtmeister?

3. Warum ließ man ihn nicht wieder gehen?

4. Wie kam der Dieb ins Polizeipräsidium?

5. Von wem bekam Emil sein Geld wieder?

6. Wem erzählte Emil seine Geschichte?

7. Wohin brachte der Reporter die drei Jungen?

# 16 Der Kriminalkommissar läßt grüßen

Das Automobil war schon Unter den Linden. Da klopfte Emil dreimal an die Scheibe. Der Wagen hielt.

»Es tut mir leid«, sagte Emil, »aber ich muß erst noch nach der Kaiserallee ins Café Josty. Dort liegt nämlich ein Blumenstrauß für meine Großmutter. Mein Koffer auch.«

»Hast du denn Geld, wenn das, was ich habe, nicht reicht?« fragte der Chauffeur.

»Ich habe Geld, Herr Chauffeur. Und ich muß die Blumen haben.«

»Na schön«, sagte der Mann, und dann fuhren sie zum Café Josty. Emil stieg aus, bekam vom Fräulein am Büfett die Sachen, bedankte sich, kletterte wieder ins Auto und sagte: »So, Herr Chauffeur, und nun zur Großmutter!«

Sie kehrten um, fuhren den weiten Weg zurück, über die Spree, durch ganz alte Straßen mit grauen Häusern. Und dann bremste der Chauffeur. Das Auto hielt. Es war Schumannstraße 15.

»Bekommen Sie noch Geld von mir?« fragte Emil und stieg aus.

»Nein. Du kriegst aber noch dreißig Pfennige von mir.«

»I wo!« rief Emil. »Die behalten Sie man.«

»Danke, mein Junge«, sagte der Chauffeur und fuhr weiter.

Nun stieg Emil in die dritte Etage und klingelte bei Heimbolds. Dann wurde geöffnet, und die Großmutter stand da, gab ihm gleichzeitig einen Kuß auf die linke

Backe und einen Klaps auf die rechte, schleppte ihn an den Haaren in die Wohnung und rief: »O du Halunke, o du Halunke!«

»Schöne Sachen hört man ja von dir«, sagte Tante Martha freundlich und gab ihm die Hand. Und Pony Hütchen hielt ihm den Ellbogen hin und sagte: »Vorsicht! Ich habe nasse Hände. Ich wasche nämlich ab. Wir armen Frauen!«

Nun gingen alle in die Stube. Emil mußte sich aufs Sofa setzen. Und die Großmutter und Tante Martha betrachteten ihn, als wäre er ein sehr teures Bild von *Tizian*.

»Hast du das Geld?« fragte Pony Hütchen.

»Klar!« meinte Emil, holte die drei Scheine aus der Tasche, gab der Großmutter hundertzwanzig Mark und sagte: »Hier, Großmutter, das ist das Geld. Und Mutter läßt herzlich grüßen. Und du sollst nicht böse sein, daß sie in den letzten Monaten nichts geschickt hat. Dafür ist es diesmal mehr als sonst.«

»Ich danke dir schön, mein gutes Kind«, antwortete die alte Frau, gab ihm den Zwanzigmarkschein zurück und sagte: »Der ist für dich! Weil du ein so tüchtiger Detektiv bist.«

»Nein, das nehme ich nicht an. Ich habe ja von Mutter noch zwanzig Mark in der Tasche.«

»Emil, man muß seiner Großmutter folgen. Marsch, steck das Geld ein!«

»Nein, ich nehme es nicht.«

»Menschenskind!« rief Pony Hütchen. »Das ließe ich mir nicht zweimal sagen!«

»Schnell, steck das Geld weg!« sagte Tante Martha und schob ihm den Schein in die Tasche.

---

*Tizian*, berühmter italienischer Maler

»Ja, wenn ihr es so wollt«, jammerte Emil. »Ich danke auch schön, Großmutter.«

»Ich habe zu danken, ich habe zu danken«, antwortete sie und strich Emil übers Haar.

Dann überreichte Emil den Blumenstrauß. Aber als man die Blumen ausgewickelt hatte, wußte man nicht, ob man lachen oder weinen sollte.

»Sie haben seit gestern nachmittag kein Wasser mehr gehabt«, erklärte Emil traurig. »Als wir sie gestern kauften, waren sie noch ganz frisch.«

»Vielleicht werden sie wieder frisch«, tröstete Tante Martha. »So, nun wollen wir zu Mittag essen. Pony, deck den Tisch!«

»Jawohl«, sagte das kleine Mädchen. »Emil, was ißt du am liebsten?«

»Makkaroni mit Schinken.«

»Na, dann weißt du ja, was es gibt!«

Eigentlich hatte Emil schon am Tage vorher Makkaroni mit Schinken gegessen. Aber erstens verträgt man sein Lieblingsessen fast alle Tage. Und zweitens kam es Emil so vor, als wäre seit dem letzten Mittag in Neustadt bei der Mutter mindestens eine Woche vergangen. Und er *hieb* auf die Makkaroni *los,* als wären sie Herr Grundeis-Müller-Kießling.

Nach dem Essen liefen Emil und Hütchen ein bißchen auf die Straße, weil der Junge Ponys kleines ganz neues Rad probieren wollte. Großmutter legte sich aufs Sofa. Und Tante Martha buk einen Apfelkuchen im Ofen.

Emil radelte durch die Schumannstraße. Dann mußte er absteigen, und Pony Hütchen fuhr ihm Kreise, Dreien und Achten vor.

---

*auf etwas loshauen,* hier: von etwas essen

Da kam ein Polizist auf sie zu, der eine Mappe trug, und fragte: »Kinder, hier in Nummer 15 wohnen doch Heimbolds?«

»Jawohl«, sagte Pony, »das sind wir. Einen Moment, Herr Major.« Sie schloß ihr Rad in den Keller.

»Ist es was Schlimmes?« fragte Emil. Er mußte noch immer an den Wachtmeister Jeschke denken.

»Ganz im Gegenteil. Bist du der Schüler Emil Tischbein?«

»Jawohl.«

»Na, da kannst du dir aber wirklich gratulieren!«

Der Wachtmeister stieg die Treppe hoch. Tante Martha führte ihn in die Stube. Die Großmutter erwachte, setzte sich auf und war neugierig. Emil und Hütchen standen am Tisch und waren gespannt.

»Die Sache ist die«, sagte der Wachtmeister und schloß die Mappe auf. »Der Dieb, den der Realschüler Emil Tischbein heute früh geschnappt hat, ist ein seit vier Wochen gesuchter Bankräuber aus Hannover. Dieser Räuber hat eine große Menge Geld gestohlen. Er hat auch schon alles *eingestanden*. Das meiste Geld hat man wiedergefunden. Lauter Tausendmarkscheine. Die Bank hat nun vor vierzehn Tagen eine Prämie ausgesetzt, und weil du den Mann gefangen hast, kriegst du die Prämie. Der Herr Kriminalkommissar läßt dich grüßen und freut sich, daß auf diese Weise deine Tüchtigkeit belohnt wird.«

Emil machte eine Verbeugung.

Dann nahm der Polizist eine Menge Geldscheine aus seiner Mappe, zählte sie auf den Tisch, und Tante Martha, die genau aufpaßte, flüsterte, als er fertig war: »Tausend Mark!«

---

*etwas eingestehen*, etwas zugeben

»Donnerwetter!« rief Pony Hütchen.

Großmutter unterschrieb eine Quittung. Dann ging der Wachtmeister.

Emil hatte sich neben die Großmutter gesetzt und konnte kein Wort sagen. Die alte Frau sagte kopfschüttelnd: »Es ist doch kaum zu glauben. Es ist doch kaum zu glauben.«

Pony Hütchen stieg auf einen Stuhl, *taktierte,* als wäre eine Kapelle im Zimmer, und sang: »Nun laden wir, nun laden wir die andern Jungens zum Kaffee ein!«

»Ja«, sagte Emil, »das auch. Aber vor allem ... eigentlich könnte doch nun ... was denkt ihr ... Mutter auch nach Berlin kommen ...«

# Fragen

1. Warum fuhr Emil nicht gleich in die Schumannstraße?

2. Wie wurde Emil in der Schumannstraße empfangen?

3. Warum gab die Großmutter Emil zwanzig Mark?

4. Wo trafen die Kinder den Wachtmeister?

5. Warum bekam Emil eine Prämie von tausend Mark?

---

*taktieren,* den Takt schlagen

# 17 Frau Tischbein ist so aufgeregt

Am nächsten Morgen klingelte Frau Bäckermeister Wirth
in Neustadt an der Tür von Frau Friseuse Tischbein.

»Tag, Frau Tischbein«, sagte sie dann. »Wie geht's?«

»Morgen, Frau Wirth. Ich bin so in Sorge! Mein Junge
hat noch nicht geschrieben. Soll ich Sie frisieren?« »Nein,
ich wollte Ihnen nur etwas *ausrichten.*«

»Bitte schön«, sagte die Friseuse.

»Viele Grüße von Emil und ....«

»Um Himmels willen! Was ist ihm passiert? Wo ist er?
Was wissen Sie?« rief Frau Tischbein. Sie war furchtbar
aufgeregt.

»Aber es geht ihm doch gut, meine Liebe. Sehr gut
sogar. Er hat einen Dieb *erwischt.* Und die Polizei hat
ihm eine Belohnung von tausend Mark geschickt. Und da
sollen Sie mit dem Mittagszug nach Berlin kommen.«

»Aber woher wissen Sie denn das alles?«

»Ihre Schwester, Frau Heimbold, hat eben aus Berlin
bei mir im Geschäft angerufen. Und Sie sollen doch ja
kommen!«

»So, so ... Ja freilich«, murmelte Frau Tischbein ver-
wirrt. »Tausend Mark? Weil er einen Dieb erwischt hat?
Nichts als Dummheiten macht er!«

»Also, werden Sie fahren?«

»Natürlich! Ich habe keinen Augenblick Ruhe, bis ich
den Jungen gesehen habe.«

»Also, gute Reise. Und viel Vergnügen!«

---

*ausrichten,* erzählen
*erwischen,* fangen

»Danke schön, Frau Wirth«, sagte die Friseuse.

Als sie nachmittags im Berliner Zuge saß, erlebte sie eine noch größere Überraschung. Ihr gegenüber las ein Herr Zeitung. Frau Tischbein blickte nervös von einer Ecke in die andere, zählte die Telegrafenmasten und wäre am liebsten hinter den Zug gerannt, um zu schieben. Es ging ihr zu langsam.

Da fiel ihr Blick auf die Zeitung gegenüber. »Allmächtiger!« rief sie und riß dem Herrn das Blatt aus der Hand. Der Herr dachte, die Frau sei plötzlich verrückt geworden, und kriegte Angst.

»Da! Da!« stammelte sie. »Das hier ... das ist mein Junge!« Und sie stieß mit dem Finger nach einer Fotografie, die auf der ersten Zeitungsseite zu sehen war. »Was Sie nicht sagen!« meinte der Mann erfreut. »Sie sind die Mutter von Emil Tischbein? Das ist ja ein Prachtkerl!«

»So, so«, sagte die Friseuse. Und dann begann sie den Artikel zu lesen. Darüber stand in Riesenbuchstaben:

## Ein kleiner Junge als Detektiv!
## Hundert Berliner Kindern auf
## der Verbrecherjagd

Und dann folgte ein spannender Bericht über Emils Erlebnisse vom Bahnhof in Neustadt bis ins Berliner Polizeipräsidium. Frau Tischbein wurde richtig blaß. Der Herr konnte es kaum erwarten, daß sie den Artikel zu Ende las. Doch der Artikel war lang und füllte fast die ganze erste Seite aus. Und mittendrin saß Emils Bild.

»Sieht er genau so aus, wie auf dem Bild?« fragte der Herr.

Frau Tischbein betrachtete das Foto wieder und sagte: »Ja. Genau so. Gefällt er Ihnen?«

»Großartig!« rief der Mann. »So ein richtiger Kerl, aus dem später mal was werden wird.«

Dann stieg der Herr aus. Sie durfte die Zeitung behalten und las Emils Erlebnisse bis Berlin–Friedrichstraße immer wieder. Insgesamt elfmal.

Als sie in Berlin ankam, stand Emil schon auf dem Bahnsteig. Er hatte den guten Anzug an, fiel ihr um den Hals und rief: »Na, was sagst du nun?«

»Sei nur nicht so eingebildet, du Lümmel!«

»Ach, Frau Tischbein«, sagte er, »ich freue mich ja so enorm, daß du hier bist.«

»Besser ist dein Anzug bei der Verbrecherjagd auch nicht geworden«, meinte die Mutter. Aber es klang nicht böse.

»Ein Kaufhaus will mir und dem Professor und Gustav neue Anzüge schenken und in den Zeitungen annoncieren, daß wir Detektive nur bei ihnen neue Anzüge kaufen. Das ist Reklame, verstehst du? Aber wir werden wahrscheinlich *ablehnen*. Denn weißt du, wir finden den *Rummel*, den man um uns macht, reichlich albern. Die Erwachsenen können so was, aber Kinder sollten es lieber bleiben lassen.«

»Bravo!« sagte die Mutter.

»Das Geld hat Onkel Heimbold eingeschlossen. Tausend Mark. Vor allen Dingen kaufen wir dir einen elektrischen Haartrockner. Und einen Wintermantel, innen mit Pelz gefüttert. Und mir? Vielleicht einen Fußball. Oder einen Fotografenapparat.«

»Ich dachte schon, wir sollten das Geld lieber zur Bank bringen.«

---

*ablehnen*, nein sagen
*der Rummel*, der Lärm

»Nein, du kriegst den Trockenapparat und den warmen Mantel. Was übrigbleibt, können wir ja wegbringen, wenn du willst.«

»Wir sprechen noch darüber«, sagte die Mutter und drückte seinen Arm.

»Weißt du schon, daß in allen Zeitungen Fotos von mir sind? Und lange Artikel über mich?«

»Einen hab ich schon im Zug gelesen. Ich war erst sehr unruhig, Emil! Ist dir nichts geschehen?«

»Keine Spur. Es war wunderbar! Na, ich erzähle dir alles noch ganz genau. Erst mußt du aber meine Freunde begrüßen.«

»Wo sind die denn?«

»In der Schumannstraße. Bei Tante Martha. Sie hat gleich Apfelkuchen gebacken. Wir haben die ganze Bande eingeladen.«

Bei Heimbolds war wirklich was los. Alle waren sie da: Gustav, der Professor, Krummbiegel, die Gebrüder Mittenzwey, Gerold, Friedrich der Erste, Traugott, der kleine Dienstag, und wie sie alle hießen.

Pony Hütchen rannte mit einer großen Kanne von einem zum andern und schenkte heiße Schokolade ein. Die Großmutter saß auf dem Sofa, lachte und schien zehn Jahre jünger.

Als Emil mit seiner Mutter kam, gab's eine große Begrüßung. Jeder Junge gab Frau Tischbein die Hand. Und sie bedankte sich bei allen, daß sie ihrem Emil so geholfen hatten.

»Also!« sagte der dann, »die Anzüge, die nehmen wir nicht. Wir lassen mit uns keine Reklame machen. Einverstanden?«

»Einverstanden!« rief Gustav und hupte, daß Tante Marthas Blumentöpfe klapperten.

Dann klopfte die Großmutter mit dem Löffel an ihre goldne Tasse, stand auf und sagte: »Nun hört mal gut zu. Ich will nämlich eine Rede halten. Also bildet euch bloß nichts ein. Ich lobe euch nicht. Die andern haben euch schon ganz verrückt gemacht. Hinter einem Dieb herschleichen und ihn mit hundert Jungen einfangen – na, das ist keine große Kunst. Aber es sitzt einer unter euch, der wäre auch gerne auf Zehenspitzen *hinter* Herrn Grundeis *hergestiegen*. Aber er blieb zu Hause, weil er das einmal *übernommen* hatte. Jawohl.«

Alle blickten nach dem kleinen Dienstag. Der hatte einen himbeerroten Kopf und schämte sich.

»Ganz recht. Den kleinen Dienstag meine ich, ganz recht!« sagte die Großmutter. »Er hat zwei Tage am Telefon gesessen. Er hat gewußt, was seine Pflicht war. Und er hat sie getan, obwohl sie ihm nicht gefiel. Das war großartig, verstanden? Nehmt euch an ihm ein Beispiel. Und nun wollen wir alle aufstehen und rufen: Der kleine Dienstag, er lebe hoch!«

Die Jungen sprangen auf. Pony Hütchen hielt die Hände wie eine Trompete vor den Mund. Und alle riefen: Er lebe hoch! Hoch! Hoch!

Dann setzten sie sich wieder. Und der kleine Dienstag sagte: »Danke schön. Doch das ist übertrieben. Ihr hättet das auch getan. Klar! Ein richtiger Junge tut, was er soll. Basta!«

Pony Hütchen rief: »Wer will noch was zu trinken?«

---

*hinter jemandem hersteigen,* hinter jemandem hergehen
*etwas übernehmen,* etwas zu tun versprechen

## Fragen

1. Was erzählte Frau Wirth Emils Mutter?

2. Wann sollte Frau Tischbein reisen?

3. Was sah sie in der Zeitung des Herrn?

4. Wen lobte die Großmutter besonders?

# 18 Läßt sich daraus was lernen?

Gegen Abend verabschiedeten sich die Jungen. Und Emil mußte ganz bestimmt versprechen, am nächsten Nachmittag mit Pony Hütchen zum Professor zu kommen. Dann kam Onkel Heimbold, und es wurde gegessen. Hinterher gab er der Schwägerin, Frau Tischbein, die tausend Mark und riet ihr, das Geld auf eine Bank zu *schaffen*.

»Nein!« rief Emil. »Mutter soll sich einen elektrischen Trockenapparat kaufen und einen Mantel, der innen mit Pelz gefüttert ist. Das Geld gehört doch mir. Damit kann ich machen, was ich will!«

»Damit kannst du nicht machen, was du willst«, erklärte Onkel Heimbold. »Was mit dem Geld geschehen soll, das bestimmt deine Mutter.«

Emil stand vom Tisch auf und trat ans Fenster.

»Ach, Heimbold, bist du ein *Dickkopf*«, sagte Pony Hütchen zu ihrem Vater. »Siehst du denn nicht, daß Emil sich so darauf freut, seiner Mutter was zu schenken? Ihr Erwachsenen versteht manchmal kolossal schwer.«

»Natürlich kriegt sie den Trockenapparat und den Mantel«, meinte die Großmutter. »Aber was übrigbleibt, das wird auf die Bank gebracht, nicht wahr, mein Junge?«

»Jawohl«, antwortete Emil. »Bist du einverstanden, Muttchen?«

»Wenn du es durchaus willst, du reicher Mann!«

»Wir gehen gleich morgen früh einkaufen. Pony, du kommst mit!« rief Emil zufrieden.

---

*schaffen*, bringen
*der Dickkopf*, jemand, der nicht verstehen will

Später ging Onkel Heimbold noch ein Glas Bier trinken. Und dann saßen die Großmutter und die beiden Frauen und Pony Hütchen und Emil in der Stube und sprachen über die vergangenen Tage, die so *aufregend* gewesen waren.

»Nun, vielleicht hat die Geschichte auch ihr Gutes gehabt«, sagte Tante Martha.

»Natürlich«, meinte Emil. »Eine Lehre habe ich bestimmt daraus gezogen: man soll *keinem Menschen trauen.*«

Und seine Mutter sagte: »Ich habe gelernt, daß man Kinder niemals allein verreisen lassen soll.«

»Unsinn!« brummte die Großmutter. »Alles verkehrt. Alles verkehrt!«

»Du meinst also, aus der Sache läßt sich gar nichts lernen?« fragte Tante Martha.

»Doch«, behauptete die Großmutter.

»Was denn?« fragten die anderen wie aus einem Munde.

»Geld soll man immer nur mit der Post schicken,« meinte die Großmutter und *kicherte.*

»Hurra!« rief Pony Hütchen und ritt auf ihrem Stuhl ins Schlafzimmer.

# Fragen

1. Was sollte Emils Mutter haben?

2. Was läßt sich aus der Geschichte lernen?

---

*aufregend,* spannend
*jemandem trauen,* jemandem glauben
*kichern,* still vor sich hin lachen